D0519111

HET KISTJE VAN CLEO

Van Hilde Vandermeeren verscheen bij Davidsfonds/Infodok:
De prinses en de kurk (6+)
Krullen (8+)
Een huis om in te verdwalen (8+)
Het gebroken masker (8+)
Een vroege zomer (10+)

HILDE VANDERMEEREN

Het kistje van Cleo

Met illustraties van

HARMEN VAN STRAATEN

Davidsfonds/Infodok

Voor Lieselot

Vandermeeren, Hilde
Het kistje van Cleo

Blijde-Inkomststraat 79-81, 3000 Leuven
Illustraties: Harmen van Straaten
Vormgeving: Peer de Maeyer
D/2005/2952/10
ISBN 90 5908 130 7
NUR 283
Trefwoorden: kansarmoede, geheimen, vriendschap

De auteur ontving voor het schrijven
van dit boek een werkbeurs van het Vlaams Fonds voor de Letteren

1

De dag kruipt langzaam voorbij, als een insect dat je het liefst wilt doodmeppen.

Beneden lopen twee jongens. Ik houd hen nu al een tijdje in de gaten. Waar ze precies mee bezig zijn, is moeilijk te zien vanaf zeven hoog. De ruiten van ons appartement kunnen wel een sopje gebruiken en als ik mijn linkeroog dichtknijp, komt de grootste jongen onder de vliegenpoep te zitten.

Veel zonlicht is er niet, daar beneden. De drie woonblokken hebben een beurtrol in het tegenhouden van het licht. Iemand heeft deze betonblokken als luciferdoosjes op hun kop geschikt en ze de naam Heuvelzicht gegeven.

In de drie maanden dat we hier wonen, heb ik me al dikwijls afgevraagd waar ze die naam vandaan gehaald hebben. Toen we naar Heuvelzicht 2 kwamen, heb ik mezelf de eerste dag afgejakkerd op zoek naar een heuvel. In gedachten had ik er zelfs al rode en gele bloemen op geplant. Ik vond alleen de spoorwegberm iets verderop.

De jongens daar beneden wonen waarschijnlijk in Heuvelzicht 1. Ik knijp mijn ogen tot spleetjes. De kleinste slaat dubbel van het lachen. Ik heb ze vorige week al bezig gezien. Toen hadden ze ook al pret.

Zodra er een blauwe auto voorbijrijdt op de rijweg iets verderop, zal ik naar hen toegaan. Een blauwe auto betekent immers dat ze zullen zeggen: eindelijk, meid, we dachten dat je nooit achter dat raam vandaan zou komen.

Rood. Wit. Niks. Brommertje.

Misschien zijn het maar stomme jongens.

Het is stil in ons appartement. Mijn moeder is met Ellie boodschappen doen en Beverly is met de bus naar de stad.

Op het bed van Beverly duik ik in een strip. Laaiend zou ze worden als ze me zo zag zitten. Ik mag nooit aan haar spullen komen. Ze verzamelt parfumflesjes en andere troep. Ze denkt dat ik niet weet waar ze die bewaart. Ik hoor haar 's avonds rommelen in de bovenste la van haar nachtkastje, dan tast ze haar flesjes af en soms ontsnapt er een vreselijk zoete walm, waardoor ik niet in slaap kan komen.

Ik ben veel voorzichtiger. Niemand weet wat ik bewaar in het kistje onder mijn bed.

De strip is uit. Het keukenraam staat open. Ik hoor de lach van de jongens. Ik zie hoe ze even blijven stilstaan en dan de speelplaats over rennen.

In de verte rijdt een witte bestelwagen langs. Met blauwe letters erop.

Ik gooi de deur van ons appartement achter me dicht, voel daarna of de sleutel aan een touwtje om mijn nek hangt en

bedenk dat ik het de volgende keer beter andersom kan doen. Even kom ik in de verleiding om de lift te gebruiken, maar ik loop er snel voorbij. Met een lift kunnen vreselijke dingen gebeuren.

Ergens huilt een kind. Iemand knalt met een deur en schreeuwt iets in een taal die ik niet begrijp. Soms lijkt het of deze blokken propvol mensen gestouwd zijn. Keurig gestapeld in laagjes, een alsmaar zoemende bijenkorf. Onze bovenbuurman gilt af en toe uit zijn raam. Zomaar. 'Die heeft verse lucht nodig', zegt mijn moeder dan. Eergisteren heb ik het ook eens geprobeerd. Ik schreeuwde hard uit het raam van de kamer waar Beverly en ik slapen. Het hielp. Even tenminste. Tot Ellie begon te huilen en mijn moeder me vroeg om onmiddellijk op te houden.

Er zijn weinig tegenliggers op de trap.

De jongens zijn verdwenen. Ik zie enkel drie kleuters die in het zand spelen, hun mama's zitten op de minst gebroken bank.

Ik oefen mijn evenwicht op de houten paaltjes aan de rand van de zandbak. Als ik val, kom ik in een nest krokodillen terecht.

Het geschreeuw van de jongens doet me wankelen. Ze lopen op een drafje naar het stenen muurtje aan de zijkant van het plein, springen erover alsof ze zich snel voor iemand willen verbergen.

Ik trotseer de krokodillen en wandel nonchalant hun richting uit.

'Hoi, waar zijn jullie mee bezig?' vraag ik.

Ze lijken niet veel zin te hebben om te antwoorden.

'Ken jij haar?' vraagt de grootste jongen aan de andere. Hij heeft bruin haar, een rechte neus, twee priemende ogen en dikke vuisten, alsof hij er een appel in vasthoudt. Ik schat dat hij het laatste jaar van de basisschool achter de rug heeft, dus ongeveer een jaartje ouder is dan ik.

‘Nog nooit gezien.’

De andere jongen is mager en bleek, met een scherpe, lange neus, hij heeft een hoofd vol gitzwart haar en hij spreekt zoals het Italiaanse meisje met wie ik nog in de klas heb gezeten.

‘Kom jij uit Italië?’ vraag ik hem.

‘Waarom wil jij dat weten?’ vraagt hij.

Ik haal mijn schouders op.

‘Voorzichtig, Punch. Misschien is ze gestuurd door die kerel van daarnet’, gaat hij verder.

Ze blijven me aankijken zonder iets te zeggen. Ik word er ongemakkelijk van. Vanaf zeven hoog zagen ze er vriendelijker en leuker uit. Misschien kwam het door de vliegenpoep die de helft van hun gezicht bedekte.

En de bestelwagen had enkel maar blauwe letters gehad.

‘Nou?’ vraagt diegene die Punch wordt genoemd.

‘Nou wat?’ vraag ik.

‘Wat kom jij hier doen?’

‘Gewoon, ik kwam toevallig langs’, zeg ik. En ik doe mijn best om zo nonchalant mogelijk te kijken.

‘Hou je hem voor de gek of zo?’ dreigt de kleinste. Hij komt dichterbij met een echte maffia-blik in de ogen. Daar moet ik geen heibel mee zoeken, anders staat de hele clan hier.

‘Laat maar, Mirko’, zegt Punch.

Ze beginnen te fluisteren. Mirko loenst mijn richting uit terwijl hij aan zijn vingers knaagt. Hij is van het walgelijke soort dat zichzelf opvreet. Hij is vast en zeker ook een neuspulker. Punch niet.

‘Ze heeft niet eens tieten’, hoor ik Mirko zeggen.

Jij hebt niet eens vingers, denk ik.

‘Oké’, zegt Punch.

‘Oké’, gromt Mirko.

‘Ik ben Cleo’, zeg ik.

Ik vertel hen er niet bij hoe ik aan die naam ben gekomen. *Cleopatra* was toen de lievelingsfilm van mijn moeder. Beverly hing ook aan een film vast, haar naam kwam uit een soort politiefilm waar mijn moeder toen geweldig om had moeten lachen. Ellie kwam niet uit een film. Die was gewoon genoemd naar zichzelf.

Aan mijn naam hing nog een heel verhaal vast. Op de dag dat mijn vader mijn geboorte ging aangeven, werd hij door de politie aangehouden.

Dat kwam zo.

'Cleo', zei mijn vader tegen de man achter het bureau.

Die nam zijn pen. Misschien likte hij er ook aan, dat weet ik niet. Ik was er niet bij, ik lag in zo'n glazen kuipje bij mijn moeder op de ziekenhuiskamer.

'Chloé', zei de man en hij begon te schrijven.

'Cleo, idioot', beet mijn vader hem toe. Misschien was hij een tikkeltje dronken.

'Cleo Idioot, dus', zei de man droog.

En toen had mijn vader hem achter zijn bureau vandaan gesleurd. Hij had de arme man door elkaar geschud. De politie woonde toevallig net boven de dienst geboorte-aangiften. Ik denk dat ze dat met opzet gedaan hebben. Voor vaders met verkeerde namen.

Mijn vader werd meegenomen. Maar niet voor lang. Hij kwam terug naar het ziekenhuis met een waarschuwing van de politie. Zo heeft mijn moeder het me verteld.

Punch en Mirko slenteren voor me uit. Beiden dragen ze de geur van stinkbommen in hun kleren.

Ze stappen naar de rijweg net langs de woonblokken. Er rijdt een blauwe auto langs.

Achter een bushokje blijven ze staan.

'Daar komt er één', wijst Punch.

Mirko steekt zijn hoofd om het hokje: 'Een vette geit, dat wordt lachen.'

Ik kijk naar het fietspad. In de verte komt een fietser dichterbij. Aan het stuur slingert een volle plastic boodschappentas vervaarlijk heen en weer. Twee blote kinderbenen met roze sokken en blauwe sandalen steken uit het zitje. Voorop zit een vrouw. Ze hijgt en ze blaast. Ze is dik. En ze is mijn moeder.

2

'Ik ken een ander spel', zeg ik. 'We lopen naar de hal van Heuvelzicht 3 en drukken alle belknoppen in.'

'En dan?'

'Dan roepen we iets geks, zoals *Ik zoek mevrouw Reutemeteut* of *Zit die ontsnapte slang bij u op de kamer?*'

'Deden we vorige week al', zegt Punch. 'En toen werden we gesnapt.'

'Opgepast...' gniffelt Mirko, 'de geit komt eraan.'

'Kennen jullie die mop van de Belg, de Fransman en de Hollander? Die gingen naar een hotel...'

'Kop dicht', zegt Mirko.

Punch houdt de weg in de gaten. In zijn grote handen liggen zeker wel drie bommetjes. Ik hoor het hoge stemmetje van Ellie dichterbij komen.

'Hé, sla me dood als daar geen briefje van tien ligt!' roep ik.

'Waar?' vraagt Mirko. Hij draait zich om en stoot tegen de hand van Punch.

Punch vloekt hard, hij is zijn bommetjes kwijt.

We bukken ons om de dingen uit het lange gras te plukken. Er liggen er twee onder mijn rechterhand verborgen.

'Ik heb er nog maar één', foetert Punch. 'En het zijn de laatste die ik had.'

'Hier ligt helemaal geen briefje van tien!' snauwt Mirko tegen me.

We lijken wel drie grazende koeien zoals we daar zitten op onze handen en voeten.

'Blij, blij, blij doet het schaap in mei', zingt Ellie terwijl ze ons voorbijrijden.

''t Isss juuuli', blaast mijn moeder.
'Gevonden!' roep ik als ze al lang voorbij zijn.

We raken de stinkbommetjes die middag niet meer kwijt. De volgende die voorbijrijdt is Kevin, een jongen met kortgeschoren haar op een opgevoerde brommer. Hij is de oudere broer van Punch. Punch zegt dat het geen goed idee is om Kevin met stinkbommen te bekogelen.

'Ik ga maar es', zeg ik na een tijdje.

Mijn moeder zal ondertussen wel al gemerkt hebben dat ik niet thuis ben.

Ik krijg een hele groet van Punch en een halve van Mirko.

Ellie huppelt me tegemoet als ik de woonkamer binnenkom. Er zitten chocoladeresten rond haar mond alsof ze een tweede stel lippen heeft.

'Hallo', zeg ik.

In de deuropening verschijnt mijn moeder, ze heeft een nieuwe schort om.

'Waar zat jij?' vraagt ze.

'Gewoon buiten wat rondgehangen.'

'Dat moet je me eerst vragen.' Ze blijft me aankijken. 'Je deed toch geen rare dingen?'

'Welke rare dingen?'

'Nou, gewoon... rare dingen.'

'Hoe kom je erbij?' zeg ik. 'Hé, die schort staat je geweldig. Je lijkt er helemaal niet dik in of zo.'

Mijn moeder schudt haar hoofd en draait zich om.

Ik hoor achter mij iets omvallen. Ellie bouwt met de videocassettes van mijn moeder een huis voor haar pop.

'Nee', zeg ik en ik zet de cassettes een voor een terug. Voor mijn moeder zijn die cassettes net goudstaven. Het is haar verzameling van de mooiste films die ze ooit heeft gezien.

'Je kunt de kussens gebruiken', zeg ik tegen Ellie.

De voordeur slaat met een harde knal dicht. Dat voorspelt de komst van een stuk chagrijn, dat soms weleens luistert naar de naam Beverly.

'Hoe was het?' hoor ik mijn moeder vragen.

Mijn moeder en Beverly staan tegenover elkaar als twee peren in een fruitmand. Als ik vroeger mijn moeder of Beverly wilde tekenen, schetste ik altijd eerst een peer, en daarna tekende ik er armen en benen aan. Beverly wilde helemaal geen peer zijn, ze wilde zijn zoals die panlatten in de boekjes. Of zoals tante Jessica, ook mooi slank. Ik denk dat het daarom is dat Beverly zo vaak boos is op mijn moeder. Vanwege de peer.

Beverly gromt iets terwijl ze het geld op tafel gooit.

'Niks gevonden. De make-upset die ik wil, is veel te duur.'

'Er zijn toch nog altijd koopjes?' vraagt mijn moeder. 'Ik heb net een schort gehaald en...'

Beverly kijkt naar de linten rond mijn moeders heupen.

'Adem maar niet te hard', zegt ze.

'Hoezo?' vraagt mijn moeder.

'Anders barst je eruit.'

Beverly heeft vandaag haar dagje niet.

Mijn moeder zucht diep. Ik hou de strik in de gaten.

'Je hebt misschien te snel rondgekeken', houdt mijn moeder vol. 'Met dat geld moet je toch echt...'

'Daarmee heb ik een set oogpotloden die zo droog zijn dat ik evengoed een stel kleurpotloden van Ellie kan nemen. En dan neem ik er haar verfdoos meteen ook maar bij. Kan ik zo op iemands gezicht kwakken in de les.'

Mijn zus zit volgend jaar in haar derde jaar Schoonheidsverzorging. Daar leer je allerlei camouflagetechnieken aan voor puisten en vlekken.

'Beverly', begint mijn moeder.

'Het is niet eerlijk', roept mijn zus. 'De hééééle klas heeft die make-upset van de lijst, de hééééle klas zal goeie cijfers halen en ik niet.'

Beverly spreekt vaak over de hééééle klas. Vooral als die allemaal iets hebben dat zij niet heeft.

'Morgen kijk ik zelf nog eens rond', zegt mijn moeder.

'Als je dat maar laat', zegt Beverly. 'Ik wil die set van de lijst en geen andere.'

Mijn moeder raapt het geld bij elkaar.

'Heb je nog?' vraagt ze aan Beverly. 'Er was meer.'

'Ik heb een braadworst gekocht', zegt Beverly op een manier die geen tegenspraak duldt. 'De hééééle straat liep met een braadworst rond.'

Ze waait als een tornado naar de slaapkamer. Daar trapt ze op de strip die ik vergat terug te leggen op haar bed.

'Ze heeft weer aan mijn spullen gezeten!' brult ze.

's Avonds, als ik hoor dat Beverly slaapt – ze snurkt een beetje – glijden mijn handen onder mijn bed tot bij mijn diepste geheim. Mijn vingers tasten de doos af en heffen geluidloos het deksel op. Als spinnetjes met fluwelen poten kruipen mijn handen naar binnen. Het geritsel is even geruststellend als papa die fluistert dat alles wel in orde komt.

3

Mijn moeder scheurt een brief open.

'Is er ook reclame bij?' vraagt Beverly.

Ze houdt een knipselboek bij over gecamoufleerde mensen.

'Ik vroeg', herhaalt Beverly, 'of er verdomme ook reclame bij was?'

'Nee,' antwoordt mijn moeder, 'en laat die verdomme maar weg.'

Ze legt de brief opzij.

'Wat staat erin?' vraag ik.

'Niks, gewoon tekenpapier voor Ellie.'

Mijn moeder noemt alle brieven die ze onbelangrijk vindt tekenpapier voor Ellie. Ellie heeft al een heel grote stapel.

'Nog meer van dat', zucht mijn moeder. 'Kunnen ze ons verdomme niet gewoon met rust laten?'

Met een zwaai legt ze een tweede brief op de stapel. In de linkerbovenhoek staat een symbooltje dat nogal belangrijk lijkt. Misschien moet ik hem straks maar eens doornemen, voor Ellie er kabouters op tekent.

'Een vrachtwagen!' roept Ellie terwijl ze uit het raam kijkt.

Ik loop naar haar toe.

Beneden staat een grote gele vrachtwagen met een draaiende betonmolen naast de zandbak. Twee mannen in werkplunje lopen met schoppen rond. Enkele mensen vormen een nieuwsgierig haagje.

Misschien staat Punch er ook tussen.

'Snel even een kijkje nemen', zeg ik tegen mijn moeder.

Mijn moeder vraagt me om Ellie mee te nemen, maar ik doe of ik het niet gehoord heb.

Beneden vind ik Mirko terug.

'Waar is Punch?' vraag ik.

Mirko knikt naar Heuvelzicht 1. 'Twee hoog, nummer 24, daarnet deed er niemand open.'

'Wat zijn die mannen van plan?'

Mirko haalt zijn schouders op. Zonder Punch erbij lijkt Mirko nog bleker en kleiner dan gisteren.

Ik vraag aan een van de mannen wat ze aan het doen zijn. Hij antwoordt dat hij een soort vloertje moet leggen, maar dat hij 'begot niet weet wat daaroep zal kommen.'

Ik denk dat hij het wel weet, maar dat hij het niet mag verklappen. Misschien hebben ze net wel een paar giftige vaten onder de grond gestopt of misschien komt er een videocamera op een paal om iedereen in de gaten te houden. Of misschien wordt het gewoon een klimtoren.

Punch zal het vast wel weten.

Ik ren de trappen op van Heuvelzicht 1. Het valt me op dat dit gebouw ook vanbinnen een afkooksel is van Heuvelzicht 2. Dezelfde kleurloze vloer, dezelfde vaalgroene tint op de muren. Stel je voor dat je op je ouwe dag van de buurtwinkel naar je appartement sjokt en dat je plots een aanval krijgt van warrigheid zodat je vergeten bent waar je woont, dan heb je vast een hele tijd nodig om het uit te zoeken.

In de gang van de tweede verdieping schuifelt een oudere dame mijn richting uit. Ze draagt een lichtbruine jurk met een blauwe pullover en het kapsel op haar hoofd lijkt op een suikerspin van drie dagen oud. Ze kijkt alsof ze het heel koud heeft.

'Bent u verdwaald?' vraag ik.

Ze schudt haar hoofd.

'Ik ga naar beneden om te kijken, naar het beeld.'

Er staan geen beelden beneden. Maar dat zeg ik niet tegen haar, anders schrikt ze zich rot. 'Bent u er zeker van dat u niet verdwaald bent?' vraag ik nog eens.

Glimlachend duwt ze de knop van de lift in.
De lift sluit.
Ik bel aan bij nummer 24.
De deur gaat open.
'Wat moet je?' vraagt Kevin. Hij ziet er nogal belabberd uit, zijn hemd hangt uit zijn broek en onder zijn rode ogen heeft hij huid te veel. Hij bekijkt me of ik hem twintig tombolaloten van de scouting wil verkopen.
Ik vraag hem of Punch thuis is.
'Nee.'
De blik in zijn ogen verandert. Hij loenst nu een beetje en houdt zijn hoofd schuin.
'Wacht even', zegt hij.
Hij draait zich om en laat de deur open, maar hij nodigt me niet uit om binnen te komen.
Ik vraag me af of ik er wel goed aan doe om te wachten. Ik ben een beetje bang voor Kevin, vooral nadat Punch gisteren zei dat Kevin harder kan ontploffen dan de grootste stinkbom.
Kevin komt terug.
Hij glimlacht: 'Ik voel me vandaag niet zo lekker. Kun jij dit pakje voor me wegbrengen? In die bruine kroeg achter het station. Vraag naar Peter.'
Als het dat maar is. Een klein pakje weet-ik-veel-wat, verpakt in krantenpapier.
'Oké', zeg ik.
Net als ik het pakje wil overnemen, duikt Punch achter Kevin op.
'Nee, Kevin', zegt hij. 'Breng je eigen pakjes weg.'
'Ik ben in zaken, Snotter', zegt Kevin.
Punch gaat tussen ons in staan.
'Jij brengt je eigen pakjes weg', herhaalt hij.

Kevin is wel twee hoofden groter dan Punch, maar de vuisten van Punch zijn dikker dan die van Kevin.

'Het is maar even om, hoor', zeg ik tegen de rug van Punch. 'Ik doe het zo meteen. En Kevin voelt zich niet zo lekker vandaag.'

'Nee', zegt Punch. 'Dat doe je niet.'

Hij rukt het pakje uit Kevins handen en gaat ermee naar binnen.

Ik hoor wat gestommel, een stoel die omvalt en Kevin die heel hard 'Snotter!' roept. En dan een klap.

Punch komt naar buiten terwijl hij over zijn wang wrijft. Vlak voor me blijft hij staan.

'Je brengt geen pakjes weg voor mijn broer', zegt hij. 'Vandaag niet en morgen ook niet.'

Zijn handen beven een beetje.

'Oké', zeg ik. Het zal het typische broer-broergedoe wel zijn, net zoals Beverly en ik soms een zus-zusgedoe hebben. Ze heeft ooit eens een pluk haar van me uitgetrokken. Dat was nadat ik een mooi, maar pesterig rijmpje had gemaakt over een peer.

Het ging ongeveer zo.

daar is ze weer
daar is ze weer
vanboven te weinig
vanonder te veel
gelukkig kijkt ze niet scheel
Beverly de peer
en nu nog een keer

'Ik wil je niet meer aan mijn deur', zegt Punch.

Zijn stem klinkt hard in de donkere gang.

Ik draai me om en ga traag weg. Ik heb het ook een beetje koud gekregen.

'Wat kwam je hier eigenlijk doen?' vraagt Punch net voor ik de hoek omsla.

Ik vertel hem over de vrachtwagen beneden. 'Ik dacht dat je misschien wel een kijkje wilde nemen.'

Hij aarzelt.

'Misschien komt er eindelijk een skateramp', zegt Punch. 'Dat beloven ze ons al vier jaar.'

Hij gooit de deur achter zich dicht.
'Ik neem altijd de trap', zeg ik.
Punch loopt zwijgend naast me, zijn linkerwang ziet rood.
'Gekke naam,' zeg ik, 'Snotter...'
Soms zeg ik dingen die ik beter helemaal niet had kunnen zeggen. Maar dat weet je pas nadat je het gezegd hebt. Zoals die keer in de klas, toen ik zei dat het nieuwe kapsel van juf heel mooi was. Dat ze leek op die filmster die geen man kan vinden.
Punch grijpt mijn arm vast of ie er een stukje uit wil knijpen.
'Als je dat ooit nog eens zegt, vermoord ik je.'
Ik slik. Ik vraag me af of ik niet nodig een bril moet, die jongens hadden er gisteren echt leuk uitgezien.
'Erewoord', fluister ik tegen Punch. Hij laat mijn arm los.
Beneden is er een nogal hevige wind komen opzetten die het nieuwsgierige haagje wat uitgedund heeft. Mirko is ook verdwenen. Misschien is ie weggewaaid.
Er ligt een nat laagje beton.
Ik voel de boze stempel van Punch branden op mijn arm. Het kan me ineens niet meer schelen wat ze hier neerzetten. Als het een apenkooi was, kon Punch er meteen in. En Mirko erbij. Die aapt toch alles na wat Punch doet.
'Dat wordt vast een pijler van de ramp', zegt Punch. 'Eindelijk. En morgen gieten ze de andere. En dan komt er een grote gebogen metalen plaat tussen.'
Ga maar lekker skaten, denk ik, en breek maar lekker al je botten.
De regen striemt op onze hoofden. De dikke druppels zorgen ervoor dat de mannen hun gele oliejekker aantrekken en dat de weinige mensen die er nog staan terug naar hun appartementen spoelen.
'Sorry', hoor ik Punch zachtjes zeggen.

Ik doe alsof ik doof ben. Van opzij kijk ik hem aan. De regen druppelt langs zijn mooie, rechte neus en zijn wang ziet nog altijd rood.

'Ik ga maar es gezellig naar huis', zeg ik.

Punch zegt niks.

Zijn blik dwaalt in de richting van het appartement waar hij woont.

Opeens denk ik eraan dat ik het kistje gisteravond niet helemaal in de veilige hoek onder mijn bed heb geduwd. En straks komt Beverly thuis. Zonder afscheid te nemen ren ik weg.

Ik spurt de trappen op, draai de sleutel in het slot en hoor de stem van Beverly in de woonkamer. Ik haast me naar de slaapkamer en zie het kistje half onder mijn bed uitsteken. De voetstappen van Beverly komen me achterna. Snel geef ik een trap tegen het kistje.

'Wat doe je?' vraagt ze.

Ik zeg iets over knellende schoenen terwijl ik languit op mijn bed lig na te hijgen.

Beverly kijkt me aan alsof ze er geen bal van gelooft. Als ik mijn geheim wil bewaren, dan zal ik voorzichtiger moeten zijn.

4

Twee dagen later zie ik Punch terug. Ik ben net bezig Ellie uit te laten. Dat zei ik vroeger altijd voor de grap tegen mijn moeder: 'Ik ga even Ellie uitlaten.' Mijn moeder wil niet meer dat ik dat zeg, ze is bang dat de mensen denken dat we Ellie behandelen als een hond. Daar is ze heel bang voor. Dat mensen dingen denken die er niet zijn.

Zoals die keer met die vrouw, een sociaal werkster of zoiets, die bij ons op bezoek kwam. Zomaar, plop, stond ze voor de deur. We woonden toen nog in ons oude huisje en het was enkele maanden na het ongeluk. Misschien had ze al een paar keer aangebeld, maar Ellie was toen net luid aan het huilen omdat ze haar flesje wilde en dat ging te traag omdat ze honger had. Ik deed de deur open, met Ellie op mijn arm, omdat mijn moeder in de keuken bij dat trage flesje was.

De vrouw bekeek me van top tot teen. Ze vroeg of mijn moeder thuis was. Ze glimlachte ook, maar achteraf denk ik dat ze dat gewoon deed om binnen te kunnen komen.

'Kom erin', zei ik. 'Mama is in de keuken.'

Ze liep de woonkamer in en keek in het rond alsof er elk moment iemand uit het behang kon springen.

Beverly zat aan tafel te kleuren.

'Wat ben je aan het doen?' vroeg de sociaal werkster.

'Kleuren', zei Beverly zonder op te kijken. Beverly heeft nooit veel woorden nodig gehad om uit te leggen wat ze aan het doen is.

De vrouw ging op een stoel zitten. Niet zomaar een stoel. Het was de stoel waarop papa altijd had gezeten.

'Mag ik even?' vroeg ze terwijl ze naar Ellie reikte. Ellie was zo'n schattige knuffelbaby, net zo'n baby als op de doos van de poepluiers en iedereen wilde haar graag oppakken. Ik gaf mijn zusje aan de vrouw. Dat had ik beter niet kunnen doen, want nu begon Ellie nog harder te huilen.

Mijn moeder kwam binnen met het flesje melk. Ze schrok zich te pletter toen ze dat mens zag zitten. Ze rukte Ellie nog net niet uit haar handen.

'Wat moet u?' vroeg ze.

De vrouw legde van alles uit waar ik niks van begreep, maar het had wel met mijn vader te maken en met geld en zo.

Mijn moeder begreep er nog minder van, want ze vroeg: 'Ik snap niet wat u hier komt doen.'

Toen bleef het lang stil. Alleen de smakgeluiden van Ellie waren te horen. Ondertussen keek de vrouw nog een keer in het rond. Mijn moeder vond achteraf dat ze heel lang naar de videorecorder had gestaard.

Daarna had de sociaal werkster met mijn moeder een gesprek. Zij stelde een lange vraag en mijn moeder gaf een kort antwoord. Nu en dan schreef ze iets op. Mijn moeder deed heel hard haar best om vriendelijk te blijven, dat zag ik zo. En ze zette zelfs koffie voor de vrouw. Maar ze koos wel de lelijkste mok uit onze kast. Die met de bruine randen en het gebroken oor. Mijn moeders haatmok, noem ik het ding.

De sociaal werkster liet nog enkele papieren achter die mijn moeder aan Beverly gaf zodra het mens verdwenen was.

In de gang stelde ze nog enkele onnozele vragen aan mij, of Beverly en ik wel eten genoeg hadden en of we elke dag naar school gingen. En toen verdween ze. Plop.

'Wie was dat?' vroeg ik aan mijn moeder. 'Wat kwam die doen?'

'Dingen zoeken die er niet zijn', zei mijn moeder. 'Voor zulke mensen moet je verdomme heel hard uitkijken, hoor je.'

En daarom mag ik nooit meer zeggen dat ik Ellie uitlaat.

Punch komt naast me zitten. Ellie begraaft haar voeten in het zand.

'Niet te diep,' zeg ik tegen Ellie, 'en kijk uit voor de glasstukken.'

Punch heeft iets in zijn handen. Het lijkt wel een rol papier.

'Hoe gaat het met je arm?' vraagt hij zonder me aan te kijken.

Ik stroop mijn linkermouw op en laat hem een grote blauwe plek zien. Kasthoeken kunnen gemeen hard zijn als je sneller dan Beverly de laatste zak chips wilt pikken.

'Het was de andere arm', zegt hij.

Ik rol mijn mouw weer naar beneden.

Punch legt de rol papier voorzichtig naast zich in het gras.

'Die broer van je kan behoorlijk razen', zeg ik. 'Pech voor je dat je ouders er niet waren.'

Het duurt even voor Punch antwoordt.

'Die waren er wel.'

Ellie staat op en loopt op haar blote voeten naar het vloertje dat de werklieden eergisteren aangelegd hebben.

Ze huppelt als een kindsterretje over het stenen podium.

Punch heeft de papieren rol weer in zijn handen. Hij pulkt aan het elastiekje.

'Ik heb iets voor je meegebracht', zegt hij terwijl hij de rol in mijn handen stopt.

Misschien heeft hij zijn mooiste poster voor me van zijn muur gehaald. Ik doe het elastiekje er snel af en rol het papier open. Het is een tekening, een schets. Ik heb er geen flauw idee van wat het moet voorstellen.

'Je moet het anders houden', zegt Punch.

Dat helpt.

Ik zie de vage omtrek van een figuur, een man misschien, die op een eenzame rots staat, vlak aan zee. Hij kijkt over het water, naar de verte. De grijze rotsen lijken weerspiegeld in de wolken.

'Vind je het mooi?' vraagt Punch.

'Het is een beetje droevig en mooi tegelijk', zeg ik. 'Waarom staat die man daar?'

Punch schraapt zijn keel.

'Weet ik veel, ik heb die schets gewoon eens gekregen.'

Op de tekening zijn geen andere mensen, geen boten en geen vogels te zien. Misschien heeft de man iemand verloren, misschien treurt hij. Misschien zingt hij een lied voor zijn vrouw, die verdronken is op zee. En misschien was er ook een kind bij.

'Hij wacht op iemand die hij verloren heeft', zeg ik.

'Oh nee', zegt Punch. 'Dat is het helemaal niet.'

Ik kijk hem aan.

'Hoe weet jij wat het niet is als je niet weet wat het wel is?'

Daar kan Punch niet meteen een zinnig antwoord op geven.

Iemand roept zijn naam.

'Mirko', fluistert Punch. 'Snel, steek dat ding weg.'

Ellie zit weer in het zand, ze heeft ergens een plastic lepeltje gevonden waarmee ze een hele rits taarten maakt.

Ik leg de rol naast me in het gras.

Ze geven elkaar een stoere handdruk. Mirko houdt zijn skateboard onder de arm. Hij doet alsof ik lucht ben.

'Ik hoop dat je niet aan het babysitten bent', zegt Mirko terwijl hij schuin naar Ellie kijkt. 'Ga je mee skaten?'

'Oké', antwoordt Punch. 'Snel even mijn plank halen. Ga je mee, Cleo?'

'Ik heb geen skateboard.'

'Wat jammer nou', grijnst Mirko.

Punch verdwijnt in de richting van zijn appartement.

'Wat heb je daar?' vraagt Mirko.

'Niks.'

Ik houd de rol achter mijn rug verborgen.

Hij haalt iets uit zijn zakken.

'Kijk', zegt hij. 'Een echt briefje van tien. Misschien heb je dat nog nooit van dichtbij gezien.'

Hij wappert ermee voor mijn ogen.

'Snel verdiend met dat pakje van Kevin.'

Ik zie het bankbiljet van tien en denk aan alles wat ik daarmee kan doen.

'Wacht maar tot Punch het hoort', zeg ik.

Mirko komt een stap dichterbij.

'Punch komt het niet te weten.'

'Zo meteen wel.'

Mirko schudt zijn hoofd traag heen en weer.

'Je bent echt nieuw hier. En dom. Hier wordt niet geklikt.'

Hij heeft gelijk. Ik weet wat die Italianen met verklikkers doen. Je wordt niet vermoord, nee, veel erger, je wordt gemold. Of je wordt wakker met een paardenkop in je bed.

'Ik zwijg al', zeg ik. 'Kom, Ellie, we gaan naar huis.'

Mirko loopt van ons weg terwijl hij de halve zandwinkel van Ellie verplettert onder zijn sportschoenen.

De televisie staat aan terwijl mijn moeder aan het telefoneren is. Dat kan ze. Kijken en praten tegelijk. Ik plof naast haar neer.

'Ola', zegt mijn moeder.

Een reuzenslang kruipt over het scherm terwijl een vrouw in bikini zich staat te baden in de rivier. Ik weet dus niet of die 'ola' voor de slang bedoeld is of voor diegene die aan de telefoon hangt.

'Goddomme', vloekt mijn moeder.

De slang spert haar muil open. De vrouw plenst nietsvermoedend in het water.

De bikinivrouw draait zich om en begint te gillen. De slang hapt toe. Het water kleurt rood.

'Net goed', zegt mijn moeder.

Ik kan me niet voorstellen dat dat voor de bikinidame bedoeld is.

'Tan-te Jes-si-ca', playbackt mijn moeder naar me.

Tante Jessica is de jongste zus van mijn moeder. Ze waren thuis met z'n vijven, allemaal meisjes. En tante Jessica belt het vaakst van allemaal. Het gaat meestal over mannen. Mijn moeder zegt dat tante Jessica er niks aan kan doen. Het is net alsof tante Jessica een magneet heeft ingeslikt toen ze klein was, een magneet waarmee ze verkeerde mannen aantrekt. En sinds enkele maanden is er een baby bij tante Jessica. Joyce.

De hoorn ligt op de haak. De slang kronkelt over het scherm, op zoek naar de volgende prooi.

'Nog een', zegt mijn moeder.

De bloeddorst van mijn moeder maakt me toch even aan het schrikken.

'Die slang heeft er net al een op', zeg ik.

Mijn moeder kijkt me aan.

'Ik heb het niet over die film', zegt ze. 'Tante Jessica verwacht weer een baby.'

'Leuk.'

'Ja', zegt mijn moeder. 'Vond Bjorn dat ook maar.'

5

Beverly is iets heel spannends aan het doen. Ze zit naast me op de bank met de streekkrant opengevouwen op haar knieën op zoek naar zwartwerk. Het is een tikje gevaarlijk omdat zwartwerk verboden is en omdat mijn moeder het niet mag weten.

Beverly en ik hebben heel wat spelletjes die alleen zij en ik kennen. Weglopertje is er ook een van. Enkele jaren geleden was ik er bijna echt ingetuind.

Het was toen Beverly voor haar verjaardag in het laatste jaar van de basisschool had getrakteerd met de verkeerde chocoladerepen. Ik was alleen in de keuken toen Beverly die middag van school thuiskwam. Ze gooide haar rugzak tegen de muur en ging naar haar kamer waar ze haar koffer begon te pakken.

‘Wat doe je?’ vroeg ik.

Ze zweeg en propte haar ondergoed in de koffer.

Toen legde ze haar parfumflesjes een voor een in de koffer, gewikkeld in een zakdoek.

‘Ik wil nooit meer naar school’, zei ze. ‘Ik haat hen.’

Zoiets had Beverly wel al een paar keer eerder gezegd, maar nog nooit met een koffer erbij. Met een koffer erbij klonk het echter.

‘Waar ga je naar toe?’ vroeg ik.

Daar had Beverly geen antwoord op. Ze stond al bij de voordeur van ons huis toen ik haar vroeg waarom ze eigenlijk wegliep.

‘Ze gooiden de repen vlak voor mijn ogen in de vuilnisbak’, zei Beverly. ‘Eerst deed die ene het en toen deden nog een paar anderen het ook.’

‘Waarom?’

‘De chocolade was van het verkeerde merk’, zei Beverly.

Ik stond in de gang en ik was zo boos, echt razend was ik. Ik vertelde Beverly wat we allemaal met die grootste trut konden doen. Ze werd gemarteld, verdronken, gevierendeeld, in stukken gereten en levend voor de haaien gegooid.

Of we stoppen een rotte banaan in haar boekentas, stelde ik voor.

Toen moest Beverly een beetje lachen en even later stond de koffer weer in de kamer. Mijn moeder heeft er nooit iets over geweten. Dat is iets tussen Beverly en mij.

‘Kranten rondbrengen’, mompelt Beverly.

Ik schud mijn hoofd en wijs. ‘Daar moet je achttien voor zijn.’

‘*Mn zkt vr om te tr*’, lees ik. ‘Trouwen, trommelen, trappen, treiteren… Hoe weet je nu wat die *mn* eigenlijk wil?’

Beverly hoort me niet. Haar hoofd zit half begraven in de krant.

'Word model, fotograaf zoekt jonge meisjes. Ook jonger dan 16.'

Ik schiet in de lach terwijl ik Beverly van opzij opneem.

'Ik ken die straat', gaat Beverly verder.

Mijn zus scheurt de advertentie uit de krant, vouwt hem op en steekt hem in haar broekzak.

'Zeg er niks over tegen mama, Cleo.'

Ik schud mijn hoofd.

Ik heb de tekening die ik van Punch heb gekregen met punaises in mijn kamer opgehangen op het stuk van de muur dat van mij is. De andere helft hoort toe aan Beverly. Mijn moeder heeft het eerst afgemeten en toen met een stickertje gemarkeerd, zoals een vlag op oorlogsterrein.

Ik heb gisteren ontdekt dat er letters op de tekening staan, onderaan in de rechterhoek. Het enige wat ik ervan kon maken is 'Jasse'. Ik koester de tekening als mijn grote kunstschat en heb Beverly gewaarschuwd om er met haar fikken van af te blijven.

'Papa, ik heb een kunstschat', fluister ik tegen het kistje onder mijn bed.

'Tegen wie praat jij?' vraagt mijn moeder.

Ze staat in de deuropening en ik heb haar helemaal niet horen aankomen. Vroeger droeg ze van die houten kleppers en dan wist je altijd of ze er aankwam of niet. Het wordt dringend tijd dat ze jarig is.

'Niemand.'

Mijn moeder geeft me een portemonnee: 'Een groot bruin, gesneden. En doe eerst die rommel in de woonkamer aan de kant.'

Brood gaan kopen heeft slechts één voordeel: dat de kantjes voor jou zijn. Met het achterste kantje tussen mijn tanden wandel ik langs de spoorwegberm. Het is drukkend heet. In de verte drijven onweerswolken dichterbij. In de graskant ritselen de insecten. De vogels kwetteren nerveus alsof ze niet alles op tijd klaar zullen hebben voor de naderende wolkbreuk.

Ik heb snel het eerste het beste topje uit de kast gehaald. Pas nu merk ik dat ik dat witte aanheb waarvan ik dacht dat mijn moeder het al weggedaan had omdat het doorzichtig is. Ook erwten verdienen een scherm, denk ik.

Zodra ik thuiskom, vliegt het ding in de vuilnisbak. Gelukkig is er geen mens te zien.

Ik loop in de richting van de stenen brug waar de trein onderdoor moet. Vanbinnen is de grijze muur vol graffiti gespoten. Als je lang genoeg kijkt, zitten er wel mooie dingen tussen. Letters die leven. Verwrongen gezichten die kijken of ze pijn hebben. Vreemde woorden.

'Hé, Cleo!'

De haartjes op mijn arm komen recht overeind. Punch wenkt me. Hij zit naast Mirko op de grond achter de stenen brug. Mirko heeft een sigaret in zijn hand.

Ik klem het brood tegen mijn borst, als een ijzeren schild.

Een beetje houterig loop ik hun richting uit.

'Moet je er ook een?' vraagt Punch.

'Het is een Italiaans merk', zegt Mirko. 'Dat roken mijn ooms en neven allemaal.'

Ik schud van nee.

'Bang van een sigaretje?' vraagt Mirko. 'Je kijkt alsof je een ei moet leggen.'

'Het gaat regenen', zeg ik om maar iets te zeggen.

Ik ben blij dat ik een groot brood moest halen en geen kleintje.

'Daar komt dat gekke ouwe wijf', wijst Mirko.

Het is het dametje dat ik enkele dagen eerder al ontmoet heb in de gang, toen ik Punch zocht. Ze heeft dezelfde kleren aan als toen, alleen haar trui heeft ze thuisgelaten.

Met een bruine boodschappentas in de hand loopt ze ons voorbij. Ze knikt. Alleen ik knik terug.

'Moet je zien,' grijnst Mirko, 'ze doet het weer.'

Het dametje zet de tas neer en haalt er een grote lap en een spuitbus met poetsmiddel.

'Ze doet het vaak', zegt Punch tegen mij. 'Dan boent ze die muren alsof ze de graffiti eraf wil krijgen. Helemaal geschift.'

De eerste druppels vallen.

'Ik ga ervandoor', zegt Mirko. 'Mijn neven wachten me op. We gaan met z'n allen biljarten.'

Dat doet hij vast in een louche tent vol rook. Hij gooit zijn sigaret half brandend naast mijn voeten. Ik trap het ding uit.

Mirko verdwijnt in de verte.

'Ik heb de tekening opgehangen', zeg ik. 'Misschien is het wel een kunstschat.'

'Wie weet', zegt Punch.

'Er is nog plaats zat op mijn muur.'

Het duurt even voor Punch antwoordt. 'Thuis liggen nog een paar kleine schetsen, maar die stellen niet veel voor.'

'Zijn die ook van Jasse?'

Punch gaat even verzitten. 'Van wie?'

'De letters in de hoek van de tekening vormen de naam Jasse.'

'De naam van de kunstenaar is niet zo belangrijk', zegt Punch.

Het houdt niet op met regenen.

'Zonder Mirko erbij ben je anders', zeg ik.

Punch geeft geen antwoord.

Ik kijk naar de oude vrouw. Ik zie hoe ze op de grote rode letters spuit om daarna met een grote lap heen en weer te gaan. Voorzichtig heen en weer. Niet schrobbend en jakkerend zoals mijn moeder deed toen Ellie per ongeluk een tube superlijm over de vloer had uitgeknepen.

'Ze poetst het op', zeg ik tegen Punch. 'Ze wil het niet weg hebben, ze poetst het op.'

'Denk je?' vraagt Punch.

Maar hij kijkt niet naar het oude vrouwtje. Hij gluurt naar mijn topje, onbeschermd omdat ik mijn brood heb laten zakken. Het is nat door de regen.

Thuis trek ik de keukenlade open, op zoek naar de grootste schaar.

6

De bliksem klieft door de avond en laat alles even oplichten. Het gerommel zwelt aan.

Ellie zit bij mijn moeder op schoot met haar duim in haar mond. Beverly houdt zich in onze slaapkamer bezig met iets waarbij ze niemand nodig heeft. Het kan Beverly geen fluit schelen of het bliksemt of niet.

Ik druk mijn neus tegen het raam. Tegen de zwarte achtergrond bouwt een gevaarlijke helwitte boom met fijne vertakkingen zich op. Enkele tellen later kraakt het over het hele gebouw. Ellie begint te huilen.

'Ga bij dat raam weg', zegt mijn moeder. 'Naar de bliksem kijken brengt ongeluk.'

Haar woorden zijn nog niet koud of er bonst iemand op de deur van ons appartement.

'Doe de deur open', zegt mijn moeder. 'Maar zet 'm op een kier.'

Het is tante Jessica met een fopspeenmummie op haar arm. Ze ziet eruit alsof ze net uit een wasmachine komt die op een verkeerd programma draaide. Verschrompeld, gevlekt en nat.

'Goddomme, Jessica!' roept mijn moeder achter mijn rug.

Ze haalt haar zus naar binnen terwijl ze handen te kort komt om Joyce over te nemen, Ellie van zich af te schudden en tante Jessica's natte kleren weg te hangen.

'Bjorn', zegt tante Jessica.

Mijn moeder knikt alsof daarmee alles is gezegd.

Even later zit een droge tante Jessica op de sofa. Ze draagt een beige trui van mijn moeder. Het ding is ruim genoeg om wel drie tante Jessica's in warm te houden. Tante lijkt een beetje op een leeggelopen ballon na een feestje. Mijn moeder houdt Joyce op haar arm.

'Ik heb n-niks kunnen meenemen', zegt tante Jessica. 'Alleen de luiertas.'

'Het komt wel in orde', sust mijn moeder.

Beverly komt binnen.

'Hallo', zegt ze tegen tante Jessica terwijl haar ogen over de veel te ruime trui glijden.

'Maak es iets warms', vraagt mijn moeder. 'Thee of melk.'

Beverly gaat naar de keuken. Ze kan goed met potten en pannen overweg. Toen mijn moeder vorig jaar met griep in bed lag, heeft Beverly voor ons gekookt.

Ze komt terug met een grote kop chocolademelk.

'Er zitten drie klontjes suiker in', zegt Beverly met een stem die even zoet klinkt. 'Wil je ook een stuk taart?'

Beverly heeft vandaag drie taartpunten achterovergeslagen.

Tante Jessica schudt haar hoofd.

'Het zat eraan te komen', zegt ze.

Mijn moeder zucht.

'Of gevulde koeken?' gaat Beverly door.

'Ik heb het echt geprobeerd', zegt tante Jessica. 'Maar ik ben bang voor de baby.'

Ze legt haar hand even op haar buik.

'Ik maak een boterham met jam voor je', zegt Beverly. 'Veel jam.'

Tante Jessica wrijft over haar lippen. Er zit een beetje bloed op.

'Ik haal een zakdoek', zegt mijn moeder.

Ze geeft Joyce aan mij. De baby slaapt, haar fopspeen trilt. Ze heeft vast een zoete droom waarin geen plaats is voor bliksems.

Als Ellie en Joyce eindelijk onder de wol liggen, gaat tante Jessica naast mijn moeder op de bank zitten. Beverly heeft haar jamtoren zelf naar binnengewerkt en hangt nu voor de buis.

Het onweer is afgenomen.

Tante Jessica zucht. 'Ik begrijp niet hoe jij het klaarspeelt.'

'Oh', doet mijn moeder.

'Jij krijgt het allemaal zo mooi voor elkaar, helemaal in je eentje.'

Mijn moeder kijkt voor zich uit.

'Dat is niet wat sommigen denken, Jessica.'

'Die sommigen kunnen de pot op.'

Beverly staat op en vertelt iedereen dat ze gaat maffen.

Tante Jessica gaat even verzitten, ze kijkt in de richting van de kamer waar Joyce slaapt. 'Soms ben ik bang', zegt ze.

Buiten rommelt het zachtjes.

'Weet je nog die ochtend dat ze ons thuis kwamen halen? Ik droom er soms nog van.'

Mijn moeder knikt.

Ik ken het verhaal. Ik heb het al eerder gehoord. Mijn moeder zei dat het net was of het leger binnenviel. En dat alle zusjes krijsten als varkentjes. En mijn moeder herinnerde zich nog dat ze zich aan haar moeder vastklampte. En dat die een groene kamerjas droeg met twee knopen eraf. Het was helemaal geen mooi verhaal en ik weet niet waarom mijn moeder het nodig vond om het steeds opnieuw te vertellen als zij en tante Jessica samen waren.

'En Trudy, ze konden haar nergens vinden.'

'In de keukenkast,' grinnikt mijn moeder, 'die kleine opdonder was in de keukenkast gekropen.'

Daar moeten tante Jessica en mijn moeder even hard om lachen. Net het sprookje van de wolf en de zeven geitjes. Maar de wolf had tante Trudy toch weten te vinden.

Daarna wordt het weer stil. Buiten druist de regen langs het raam naar beneden.

Mijn moeder kijkt voor zich uit naar de televisie en tante Jessica friemelt aan een lusje van haar trui.

Ik zit op het tapijt met een boek en doe of ik lees. Dit is het moment voor de truc van het onzichtbare meubelstuk. Dan zegt niemand dat je naar je bed moet. En de avondschemering houdt verhalen verborgen met een donker kantje eraan.

'Ik hoor het soms nog, Jessica', zegt mijn moeder. 'Het geluid van voetstappen in de lange, koude gang van het opvangtehuis. Je hoopte altijd dat ze stilhielden voor je kamerdeur, zodat je in het weekend even naar huis mocht.'

'Dat gebeurde niet vaak.'

'Nee', schudt mijn moeder. 'Maar ze deden hun best, pa en ma. Ze wilden echt dat we weer allemaal thuis konden wonen.'

'Echt slecht was het niet in de Rozenwinde', gaat tante Jessica verder. 'Maar thuis was het leuker. Meestal toch.'

'Ik zag Kurt toch lekker zonder dat ze het wisten', zegt mijn moeder. 'Achter de muur in de hoek van de tuin.'

Ik probeer het me voor te stellen, mijn moeder nog voor ze mijn moeder was en mijn vader nog voor hij mijn vader was, samen in de hoek van de tuin van de Rozenwinde. Wat ze daar deden wist ik niet precies, maar het zal wel leuk geweest zijn en verboden ook.

'Kurt', zegt mijn moeder.

Ik wil dat ze vertelt over mijn vader, over hoe lief hij was en hoe grappig ook. En dat hij stiekem rozen voor haar plukte uit de grote tuin. En dat hij haar die bos bloemen gaf met een grote rode strik eromheen. Misschien zong hij er een zelfgemaakt liedje bij of had hij er in een heel gekke bui wel een tapdansje voor over in de regen. Dat wil ik nu horen.

'Waarom moest ie verdomme tegen een boom aan knallen?' zucht mijn moeder.

7

Tante Jessica en Joyce zijn nu al drie dagen bij ons. Mijn moeder wordt een beetje zenuwachtig, want eigenlijk mag je geen mensen te logeren hebben. Beverly wordt ook een beetje zenuwachtig, want ze vindt dat er te veel baby in ons appartement is.

'En overal vind ik poepluiers', zegt ze giftig tegen mijn moeder. 'Ik ruik ze zelfs tot in de gang.'

Mijn moeder zegt dat we tante Jessica moeten helpen. Ze denkt ook dat tante Jessica niet zo heel lang meer bij ons zal blijven. Gisteren belde Bjorn haar op.

'Daar begint het mee', zegt mijn moeder zachtjes tegen me in de keuken. 'Eerst belt hij om te zeggen dat ie spijt heeft van wat ie ook heeft gedaan. En dan belt tante Jessica hem weer op. En dan beginnen ze elkaar te missen en dan zegt hij dat hij zoveel om haar geeft. En dan gaat ze naar huis. Zo ging het de vorige keer ook.'

Mijn moeder kan het weten. Ze heeft een neus voor zulke dingen.

Ik zoek Beverly op die zich verschanst heeft in onze slaapkamer. Op het moment dat ik binnenkom, moffelt ze snel iets onder haar hoofdkussen.

'Wat heb je daar?' vraag ik.

'Niks.'

Als Beverly even later weggaat, zoek ik naar het niks onder haar hoofdkussen. Het is de advertentie van de fotograaf, die ze enkele dagen geleden uit de krant scheurde. Ik stop het terug. Misschien bewaart Beverly het onder haar hoofdkussen in de hoop dat het stukje papier haar mooie dromen bezorgt.

'Er scheurt een gek met een brommer over de speelplaats', zegt mijn moeder terwijl ze uit het raam kijkt. 'Dat zouden ze moeten verbieden.'

'Straks rijdt ie een kleuter overhoop', antwoordt tante Jessica afkeurend.

De brommer rijdt luid knetterend over het gras en slalomt tussen een groep voetballende jongens door.

Een van de jongens zwaait met zijn vuist, ik denk dat het de appelvuisten van Punch zijn. Ik heb hem al een paar dagen niet meer gezien.

Ik neem de trap naar beneden.

Als ik buiten kom, hoor ik onmiddellijk waar de brommer zich ophoudt. Hij staat met draaiende motor op het platform van beton. Het is Kevin. Zijn gezicht blinkt nog harder dan het chroom van de brommer.

Enkele jongens komen dichterbij. Ik zie hoe Punch de bal een boze lel geeft naar het andere eind van de zandbak.

Kevin zet de motor uit en wrijft door zijn haar.

'Wauw!' hoor ik Mirko zeggen. 'Wat een beest van een brommer.'

'Poten af', antwoordt Kevin.

Ze troepen rond de brommer als kinderen rond de ijskar.

'Dat doet ie nu met opzet', zegt Punch. 'Ons spel aan flarden rijden.'

Mirko komt bij ons staan.

'Zo een wil ik er ook wel, die komt vast uit de garage waar Kevin werkt.'

Punch draait zijn pet achterstevoren op zijn hoofd.

'Kevin werkt daar niet meer.'

'Waarom niet?'

'Daarom.'

'Hoe komt ie dan aan zo'n geweldig ding?' vraagt Mirko. 'Daar moet je een pak geld voor neertellen.'

Punch zwijgt.

'Oh,' zegt Mirko met een knipoog, 'ik snap het al, vast van de vrachtwagen gevallen, niet?'

Hij gaat naar de brommer.

Punch draait zich om en beent weg. Ik sta op het punt om hem achterna te gaan, als ik plotseling een muntstuk in het oog krijg, half verborgen in de aarde, achter de voeten van Kevin. Het is al een hele tijd geleden dat ik nog iets heb gevonden. Ik heb nog plaats zat in mijn kistje.

Er is maar één manier om ongezien dichterbij te komen.

'Cool ding', zeg ik terwijl ik met nonchalante huichelpassen naar de brommer toe stap.

'Mooi stuur', mompel ik, om maar iets te zeggen. 'Leuke wielen.'

Kevin bekijkt me alsof ik een hond ben die een poot gaat opheffen om tegen zijn brommer te plassen.

Ik loop om de brommer heen achter Kevin om. Ik buk me, mijn vingers graaien gretig in de aarde. Net op het moment dat ik merk dat ik een verroeste kroonkurk in mijn hand houd, wordt mijn rechterkootje bijna verbrijzeld onder Kevins maat 45.

Ik gil het uit.

'Kijk uit', snauwt hij.

Snel ga ik op zoek naar Punch.

Ik vind hem even later bij de fietsenstalling net naast Heuvelzicht 1.

Hij heeft een klein boekje in zijn handen waarin hij verwoed krabbelt met een afgebeten potloodstompje.

'Wat is dat van die vrachtwagen?' vraag ik.

'Niks.'

Het potlood krast over het papier.

'Hoe komt je broer aan die brommer?'

Geen antwoord.

'Wat doet hij om...'

'Hou er nu over op, wil je?' snauwt Punch.

Met elk woord haalt hij uit op zijn blad.

'Kevin wil te veel en te snel', zegt Punch even later zonder op te kijken. 'En verder praat ik er niet meer over.'

Ik denk aan vrachtwagens en aan wat daar allemaal van af kan vallen.

Het is leuk om iets te krijgen wat je niet verwacht. Zoals die keer dat papa thuiskwam met een computerspelletje. Beverly en ik speelden in de tuin dat wij twee detectives waren en dat de poes onze speurhond was aan een zelfgemaakte leiband. Plots stond papa voor onze neus te zwaaien met een pakje. Beverly en ik begonnen te kibbelen wie van ons tweeën het pakje mocht openen. De poes maakte van die gelegenheid gebruik om er snel vandoor te gaan. 'Doe het dan samen', zei papa. Uit het pakje kwam een heus computerspel. Het rook nog naar nieuw. Papa lachte omdat we zo blij waren.

Punch klapt zijn boekje dicht.

'Mag ik lezen wat je geschreven hebt?' vraag ik nieuwsgierig.

'Er valt helemaal niks te lezen.'

'Maar...'

'Het is een tekening', zegt hij.

Het duurt een paar tellen voor hij het boekje openslaat.

Ik moet lachen om wat ik zie. Het is alsof je door een andere bril naar Kevin en zijn brommer kijkt.

'Gek dat je zo'n leuke tekening kunt maken, terwijl je zo boos bent', zeg ik.

Het graffiti-dametje zit wat verderop op een bank en houdt ons in de gaten. Ineens staat ze op en loopt op ons af.

‘Mag ik?’ vraagt ze aan Punch terwijl ze naar zijn boekje wijst.

Even aarzelt hij, maar dan geeft hij het boekje aan haar.

Ze glimlacht.

‘Je doet me denken aan mijn kleinzoon’, zegt ze terwijl ze de blaadjes omslaat. ‘Die zat ook altijd te tekenen. Stapels papier heeft hij gebruikt. En ook de muren onder de spoorweg.’

Ze geeft het boekje terug aan Punch.

‘Raak het niet kwijt, jongen.’

8

Vandaag is er iets verschrikkelijks gebeurd. Sinds vandaag bestaat mijn leven uit twee delen: de tijd voor vandaag en de tijd erna. Vandaag is de grens overschreden tussen wie ik was en wie ik nooit wilde worden. Sinds vandaag heb ik een geheim dat ik in een Tupperware-potje wil stoppen en met een raket de ruimte in wil schieten.

Sinds vandaag ben ik een dief. Niet gewoon een dief, maar een DIEF. Het ging wel per ongeluk, maar dat maakt het niet minder erg.

Het kwam zo.

Het begon allemaal heel leuk. Ellie en ik waren op weg naar het warenhuis met de grote canvas tas tussen ons in. We hadden elk een oor vast en zwierden de tas heen en weer zodat de portemonnee van mijn moeder vrolijk meedanste op de bodem.

Achteraf gezien waren er heel wat voortekens van het onheil dat ons boven het hoofd hing. Ik geloof in voortekens. Papa verongelukte op een donkere vrijdagnacht, vier jaar geleden op 31 oktober. En als je 31 omdraait, krijg je 13 en iedereen weet wat dat betekent.

De voortekens van vandaag bestonden niet uit zwarte katten, maar wel uit bruine honden.

'Kijk,' wees Ellie, 'Snoopy.'

Ik zag een lichtbruine pralinepoedel tussen twee keuvelende dames in. Ellie doopt alle honden om tot Snoopy sinds ze vorig jaar vriendschap had gesloten met de hond van de overbuurvrouw in de straat waar we toen woonden.

'Je mag hem even aaien', zei ik.

'... profiteurs en zakkenvullers', hoorde ik de dame zeggen

die de hond aan de lijn had. Daarbij keek ze alsof ze net in een hoopje verse hondenpoep was getrapt.

'Wat je zegt, dat loopt de hele dag te niksen, dat steekt geen vinger uit en dat wordt er nog voor betaald ook. Mijn Jules heeft zich kapotgewerkt aan de spoorwegen. Dat was nog eens echt werken, zeg ik je. Maar die... ' Haar neusgaten sperden zich open en er volgde een gesnuif van een dampend paard. 'En die kinderen dan, ze dweilen de straten af. Gisteren werd Jules haast overhoop gereden door zo'n kwajongen, het was er zeker een van daar.'

Ik wist niet waar daar was, maar het klonk vies en gevaarlijk. Ellie stond ondertussen dicht bij de hond.

'Ze hadden die blokken daar nooit mogen neerzetten. Mijn Jules heeft destijds nog zelf, alhoewel hij niet meer zo goed ter been was, zelf persoonlijk in eigen naam een klacht ingediend bij de provinciegouverneur. Dat is een achterneef van hem. Maar het mocht niet baten.'

Ik kreeg het onaangename gevoel dat die dames over een plaats bezig waren die dichter bij huis lag dan ik eerst dacht.

'Mia,' siste de ene tegen de andere, 'er staat een kind naar je te gluren.'

Ellie bukte zich om de poedel te aaien. Maar de dame met de hond gaf een kort rukje aan het beest en keek alsof Ellie met vlooien besmet was.

De ander plette haar handtas tegen haar boezem.

'Het ziet er niet kwaad uit, dat kind, maar je weet maar nooit.'

'Wat je zegt, Mia, je weet maar nooit. Ze leiden je af en ondertussen graaien ze met hun vingers in je tas.'

'Ze zijn ook niet allemaal slecht.'

'Nee, maar toch. Er zijn er die zich gewoon niet aan de regels kunnen houden', zei de dame met de hond terwijl ze met haar viervoeter de winkel in liep, rakelings langs het bordje waarop stond dat honden in de winkel verboden waren.

'Snoopy is weg', zei Ellie treurig. 'En ik heb hem niet geaaid.'

'Gelukkig maar', antwoordde ik. 'Dat beest stikte van de vlooien.'

Het tweede voorteken was juf. Nu heeft juf op zich niks met honden te maken. Ze heeft zelf geen hond en ze lijkt er ook niet op, maar ik zag haar in de diepvriesafdeling met een pak frikadellen in haar handen. En ik heb altijd horen beweren dat frikadellen weleens van honden gemaakt konden zijn. Vandaar.

'Dag juf', zei ik vrolijk. Ik was toen nog vrolijk omdat ik op dat moment nog niet wist dat ik een dief was.

'Ha, die Cleo', zei juf.

Ze glimlachte daarbij even lief zoals ze gedaan had vanaf de eerste dag dat ik in haar klas was verschenen, drie maanden geleden. Ik heb mij in die maanden nooit het vijfentwintigste wiel aan de wagen gevoeld en dat is vooral dankzij juf. Zij liet ons allerlei leuke dingen doen zoals zelf onze eigen boekjes schrijven en toverbrood maken. En volgend jaar schuift juf lekker met ons mee.

'Is dat nu je zus?' vroeg juf.

Ik knikte.

Op het eerste gezicht kun je helemaal niet zien dat Ellie en ik zussen zijn. Ik ben nogal mager en Ellie is een beetje mollig, maar het is nog te vroeg om te zien of ze ook een peer wordt. Mijn haar is pikzwart en steil en Ellie is rossig en in de zomer regent het sproetjes op haar gezicht.

'Ik ben vijf', zei Ellie en ze toonde daarbij haar mollige rechterhand met resten jam en broodkruimels tussen haar vingers.

Daarna vroeg juf wat ik allemaal uitspookte in de vakantie en daar wist ik niet zoveel op te zeggen. Ze zei ook iets over volgend schooljaar, maar dat kon ik niet zo goed verstaan omdat Ellie net op dat moment een deurtje van een diepvrieskast had open gekregen waarin de ijsjes zaten.

'Ik ga maar eens,' zei juf.

'Dag juf,' zei ik. En ik legde het pak ijsjes van Ellie weer in de kast.

Een beetje jaloers keek ik hoe ze met haar lekkere kar wegreed.

Even later liep ik door de speelgoedafdeling naar de zuivelproducten en dat had ik beter nooit kunnen doen.

'Wafwaf', zei Ellie terwijl ze een klein knuffelhondje vasthield, met een prijskaartje dat bijna meer woog dan de hond zelf.

'Leg terug,' zei ik tegen haar, 'nu zit er al jam aan zijn snoet.'

'Dat vindt hij fijn.'

Ellie leek niet van plan om het beestje snel los te laten. Ik dacht aan de vlooienpoedel van daarnet en kreeg een beetje medelijden met mijn zus.

'Speel maar even hier, Ellie. Ik haal boter en melk en dan kom ik je hier weer oppikken.'

Ik vond Ellie enkele minuten daarna met haar hoofd in een poppenhuis, dus ik dacht dat ze die hond al lang vergeten was.

Juf stond achter ons aan te schuiven in de kassa. Haar kar was nog lekkerder geworden. 'We trekken er eens op uit', zei juf terwijl ze nog eens op haar lijstje checkte of ze geen negenennegentig in plaats van honderd dingen mee had.

Ondertussen laadde ik onze boodschappen in de canvas tas, terwijl ik Ellie verbood om aan de kar van juf te hangen.

Ik betaalde, wuifde naar juf en trok Ellie met me mee.

We waren al op een steenworp van de winkel toen iemand me riep.

Het was juf.

'Cleo', hijgde ze. 'Bijna vergeten. Ik wil toch echt eens bij jullie langskomen. Als ik terug ben van de reis. Kan dat?'

'Ja,' knikte ik, 'wij gaan niet op reis.'

'Oké', zei ze. 'Ik weet jullie wonen, ik geef wel een seintje wanneer ik kom. En nu moet ik er echt vandoor.'

Ik had er helemaal geen idee van waarover ze mijn moeder wilde spreken, want op school ging alles prima.

Ellie en ik liepen verder.

'Wafwaf', hoorde ik haar opeens zeggen.

En ze drukte daarbij iets zachts tegen mijn arm. Iets zachts met een vlek jam en een prijskaartje eraan.

9

Ik weet niet goed hoe ik thuis ben gekomen. Eerst heb ik lang getwijfeld: zou ik mij omdraaien en de hond teruggeven aan de kassa? Ik kon een leugentje ophangen over hoe de hond toevallig in onze tas was gevallen of ik kon gewoon zeggen dat Ellie die hond al spelend had meegenomen en per ongeluk in het zijzakje van haar jas had gestopt zonder dat ik het wist. Maar dat zouden ze nooit geloven. Ze zouden vragen waar we woonden en dan zouden ze zeggen: dat is die plaats waar al die zakkenvullers wonen en al die kinderen die oude mensen van hun sokken rijden. En dan zouden ze Ellie meenemen en mij misschien ook om te vragen of we nog andere dingen gestolen hadden. En ze zouden ons niet geloven als we zeiden dat dat niet zo was. En mijn moeder zou haast sterven van verdriet en Beverly zou het ook niet zo leuk vinden omdat ze nu alles alleen zou moeten opruimen. En misschien namen ze ons van mijn moeder af zoals ze dat gedaan hadden met mijn moeder en haar zussen toen zij klein waren. En misschien stopten ze ons in een tehuis, nog erger dan de Rozenwinde, want daar was nog een tuin. Misschien kwamen Ellie en ik in een tehuis voor foute kinderen terecht en kregen we water en brood en op zondag hoogstens smeerkaas. En dat was heel erg, want Ellie lust geen smeerkaas.

En daarom zweeg ik en bracht ik de hond niet terug.

Nu ben ik al een uurtje thuis en ik heb het bewijs van onze misdaad in mijn kast tussen mijn ondergoed verstopt.

'Hond is kwijt', zeurt Ellie terwijl ze met een lepel tegen haar bord tikt.

Tik tik tik tik, het geluid van mijn hartslag, het geluid van een rammelende sleutelbos, het geluid van een agente op naaldhakken.

'Hou er nu over op', zeg ik tegen Ellie. 'En leg die lepel weg.'

TIK TIK TIK TIK.

'Verdomme, Ellie, waarom heb je dat beest meegenomen zonder dat we ervoor betaald hebben?'

Het tikken stopt.

'Snoopy is vanzelf in mijn zak gekruipt.'

Tikketik tikketik tikketik.

Ik krijg geweldig veel zin om Ellie uit het raam te gooien en de lepel erachteraan. Maar dan denk ik aan de smeerkaas.

'Zeg tegen niemand iets over Snoopy, Ellie.'

Ze knikt.

'Krijg ik hem nu terug?'

'Nee', schud ik. 'Hij is weg. Voorgoed.'

De rest van de dag probeer ik het voorval uit mijn hoofd te zetten en niet meer aan honden en dieven te denken. Maar dat lukt moeilijk, want alles wat ik zie of hoor heeft met honden of dieven te maken.

Als ik de televisie aanzet, komt een man op me afgestapt met vier grote honden aan zijn voeten. Hij vertelt me dat je honden goed moet verzorgen en daarbij kijkt hij me doordringend aan.

'En daarom geef ik Palfi', zegt hij.

Ik zap weg.

'Laat staan, Cleo', blaft Beverly, die naast mij op de bank ligt en ze mompelt iets over muziek na de reclame.

Ze staat op en gaat naar de keuken. Beverly krijgt altijd honger als er iets te eten valt op de buis. Ze komt terug met een witte reep tussen haar tanden.

Ik bevind mij intussen in een filmfragment over de Middeleeuwen. Een haveloze man wordt naar het schavot geleid.

'Cwool!' zegt Beverly met een propvolle mond. 'Nu gwaan ze zijn handen afhwakken.'

Dat deden ze in die tijd met dieven, weet ik uit de les van juf.

Mijn maag voelt aan alsof ik net een bord Palfi achterover heb geslagen.

Ik ga naar buiten.

De avond hangt lichtoranje sluiers in de lucht alsof ook de zon iets te verbergen heeft. Ik zoek een plekje op om even alleen te zijn. Maar dat is moeilijk, want het lijkt wel of ze de betonblokken uitgeschud hebben en iedereen nu buiten is. Tieners staan in groepjes bij elkaar, kleuters draven in het zand, enkele mannen spelen een spelletje kaart op de houten tafel. Op de bank vlak bij het platform, zit het vrouwtje dat ik onlangs de graffiti zag oppoetsen. Ze staart voor zich uit met een glimlach op haar gezicht.

Ik weet nog een plekje achter Heuvelzicht 1, tussen de muur van het gebouw en de hoge heg die het geluid van de straat moet tegenhouden. Om daar te raken, moet ik de speelplaats oversteken. Ik probeer om zo gewoon mogelijk te lopen, met een vederlichte pas, als iemand die niks te verbergen heeft. Maar doordat ik zo hard probeer om zo gewoon mogelijk te lopen, lijk ik vast op een wiebelkip.

Eindelijk. Rust. Stilte. Ik ben alleen met mijn gedachten en met wat me vandaag is overkomen. Het geluid van de speelplaats wordt gedempt door Heuvelzicht 1, ik hoor enkel de auto's voorbijrijden en wat gezellig geritsel in de heg.

Een nogal luid geritsel. Een onnatuurlijk luid geritsel. Iets komt door de heg heen.

'Wie is daar?' roep ik.

Er is niks in de buurt om me te verdedigen.

Maar dat blijkt ook niet nodig.

Punch kijkt even verbaasd als ik.

'Ik had niet gedacht hier iemand te vinden', zegt hij terwijl hij helemaal door de heg kruipt.

We kijkend zwijgend naar elkaar alsof we allebei hopen dat de ander eerst zal weggaan.

'Er zit een blaadje in je haar', zeg ik en ik pluk het eruit.

'Hier is plaats genoeg voor twee', wijst Punch en hij laat zich in het gras zakken met zijn rug tegen Heuvelzicht 1 aan.

'Het is nog warm', zegt hij. 'De zon is in deze muur gekropen.'

We zitten een tijdje naast elkaar te zwijgen en ik heb al een hele juwelenset van grassprietjes gevlochten als ik besluit om hem iets belangrijks te vragen.

'Wat zou je ervan zeggen als iemand je vroeg of ze een geheim aan je kwijt kon?'

'Hangt ervan af', antwoordt hij. 'Er zijn soorten geheimen. Mooie en lelijke.'

Daar moet ik even over nadenken. Ik dacht dat ik maar één geheim had, namelijk het d-i-e-f-geheim, maar eigenlijk heb ik er nog een. Het zit in het kistje onder mijn bed en het is een mooi geheim.

'Ze heeft er twee', zeg ik. 'Een mooi en een lelijk.'

Punch legt zijn hoofd in zijn handen.

'De kamer van de lelijke geheimen zit stampvol', zegt hij zacht. 'Ik heb enkel nog plaats voor mooie.'

'Goed', zeg ik. 'Dat zal ik haar zeggen.'

Punch wrijft door zijn haar.

'Je kunt het gerust aan me kwijt, Cleo. Je mooie geheim.'

'Het was niet voor mij', zeg ik iets te heftig. 'Het was voor mijn vriendin.'

'Oké', zegt Punch. 'Eet me niet op, ik kan echt geheimen bewaren. Er zit er zelfs één van Mirko in mijn kamer.'

'In de mooie kamer?'

Punch schudt zijn hoofd.

'In de andere. Daarom zit het er ook eivol. Ik krijg er soms barstende hoofdpijn van.'

Het verbaast me een beetje dat Mirko ook lelijke geheimen heeft, ik heb altijd het gevoel gehad dat hij met alles te koop liep.

'Gaat het geheim van Mirko over de maffia?' vraag ik gretig.

Punch kijkt me aan met een vreemde blik.

'De kamer is gesloten', zegt hij kort.

Over de rijweg dendert een vrachtwagen voorbij, op de speelplaats schreeuwt een mama haar kinderen bij elkaar.

'Ik heb een mooi geheim', aarzel ik. 'Het zit in een kistje onder mijn bed en het heeft te maken met iets dat ik papa heb beloofd toen ik aan zijn graf stond. Nu jij.'

Punch wacht even.

'Ik wist niet dat je vader dood was.'

'Daar wil ik het niet over hebben', zeg ik. 'Nu jij.'

Ik zie hoe de ogen van Punch opflakkeren.

'Mijn geheim staat op de tekening die ik aan jou heb gegeven', lacht hij.

Zijn ogen zijn nu heel dichtbij, zijn arm ligt tegen die van mij aan en de warmte van de muur en de geur van mooie geheimen maken me doezelig.

Misschien kan ik toch iets van mijn lelijke geheim aan hem kwijt. Hij is een goede schatbewaarder, het geheim van Mirko liet hij ook niet los. En misschien voel ik me een stuk lichter als ik het d-i-e-f-geheim in een klein hoekje van zijn kamer kan onderbrengen.

'Wat zou je ervan zeggen als iemand die je goed kent een dief zou zijn?' vraag ik.

De flakkering in zijn ogen verdwijnt op slag. Hij rukt zich van me los en staat op.

'Ik zei je toch dat die kamer vol zat met de deur potdicht?' snauwt hij.

'Maar ik...'

'Tot ziens, Cleo.'

'Maar dat...'

Hij verdwijnt.

Nu pas valt het me op hoe koel de avond is geworden. Ik loop snel terug naar ons appartement.

Ik ben blij dat de dag om is, maar het venijn zit in de staart. Ik krijg een vreselijke nachtmerrie.

Met een harde knal vallen gewapende agenten ons appartement binnen. In de gang staat de poedeldame te krijsen. 'Hier is het, hier is het!' In plaats van een poedel heeft ze een pitbull aan de lijn. De man van Palfi staat ernaast. De agenten grijpen me beet. Ik schreeuw dat ik niks gedaan heb en klamp me aan mijn moeders groene kamerjas vast. Alle knopen schieten los. De agenten doorzoeken de kamer en gooien daarbij Beverly's flesjes aan diggelen, waarop Beverly hevig begint te huilen dat ze nu niks meer heeft. En dan komt het ergste. Een zwarte figuur gehuld in een kapmantel schrijdt naar voren. Een donkere stem zegt: 'Stil allemaal. Luister.' Het wordt muisstil. Daardoor wordt een zacht geblaf hoorbaar in de kast. De agenten rukken de kastdeur open en vinden de hond met het prijskaartje eraan.

'Ik was erbij toen ze het meenam', zegt de zwarte figuur. 'En ze zal gestraft worden.'

'Handen afhakken!' gilt de poedeldame in de gang.

De figuur met de kapmantel komt dichter en dichter bij. Traag doet ze de kap af. Ik gil en word zwetend wakker.

Beverly bromt dat ik mijn klep moet houden. Mijn moeder staat in de kamer en ik zeg haar dat ik een enge droom had die niks betekende.

Maar dat is niet waar.

Onder de kapmantel zat juf. Zij heeft alles gezien en dat is wat ze mijn moeder wil komen vertellen.

10

Enkele dagen later staat er een kunstwerk op het platform beneden. Het ding is even gewenst als een zwam die je plots in je vochtige, donkere kelder ontdekt.

Ik ben er al driemaal omheen gelopen en nog altijd weet ik niet wat het moet voorstellen. Het is van hout en er zitten gaten en bulten in.

'Dat is nu kunst', weet iemand.

'Kunst, m'n reet,' antwoordt Kevin.

Hij scheert rakelings langs het beeld en verdwijnt in de verte.

'Het is van hout', zegt Mirko traag terwijl hij een sigaret opsteekt. 'Dat brandt makkelijk.'

Er wordt gelachen.

Mirko doet of hij het beeld in de fik steekt.

Ik staar naar de twee gaten, geschikt om een dief zijn handen door te laten steken en dan... tsjak. Ik huiver. Op de een of andere manier jaagt het beeld me de stuipen op het lijf.

'Mag ik erop spelen?' jengelt Ellie.

'Nee, dan kun je in de gaten blijven steken en dan moet je de rest van je leven zo blijven zitten', zeg ik.

Na een poosje druipt iedereen af, alleen Punch blijft staan. Hij kijkt aandachtig naar het beeld, alsof hij verwacht dat het hem zelf zal vertellen wat het nu voorstelt.

'Wat doe je?' vraag ik.

'Ik voel wat het is.'

'Van hout.'

Punch houdt zijn hoofd schuin.

'Ik bedoel: wat het is.'

'Een stom stuk hout met gaten erin. Kan ik ook.'

'Er zit iets in.'

'Er zit niks in. Het is gewoon een eng ding waar de wind doorheen speelt.'

Het is een winderige dag alsof iemand die niks beters om handen had de zomer voor de herfst heeft ingeruild. Ideaal weer voor zwammen. Ik kijk vanuit het keukenraam naar de regen die het eenzame beeld geselt. Net goed.

Ik denk aan juf en hoe ze nu op een wit strand onder de palmbomen ligt in haar streepjesbikini. Misschien heeft ze het te druk met zonnen en drinkt ze iets te veel sterke drankjes waardoor ze vergeet wat ze mijn moeder moet komen vertellen. Maar juf vergeet nooit iets. Ze weet altijd wie er jarig is, wie aan de beurt is voor klassendienst en wanneer de goudvis voor het laatst eten heeft gekregen.

Misschien zou ze de lift nemen als ze kwam. Dat was mijn laatste hoop. Liften zijn kleine verraderlijke bakjes. Je kon er uren in vast komen te zitten als het appartement in brand stond, of je donderde naar beneden omdat iemand met de kabels had geknoeid, of het ding bewoog vanzelf, of er stapte iemand in met een donkere bril op en een mes in zijn zijzak.

De telefoon gaat over.

Mijn moeder was net bezig met de afwas en nu hangt er schuim aan de telefoon.

'Ha, Jessica', zegt ze. 'Nee toch.'

Ze beweegt met haar hand langs haar voorhoofd, zodat er aan haar wenkbrauw ook een klodder schuim hangt. Mijn moeder gaat op de stoel zitten, ik hoor hem kraken.

Ellie kijkt naar grappige tekenfilmpjes op televisie en zuigt daarbij aan het puntje van haar duim. Ik vraag me af wat Beverly aan het doen is. De deur van onze slaapkamer is dicht, waarmee Beverly laat verstaan dat ze niet gestoord wil worden. Meestal doe ik dat ook niet, omdat Beverly anders zo boos wordt dat ze met dingen begint te gooien. Ik heb ooit al eens een gaatjesknipper tegen mijn hoofd gekregen en daarna regende het confetti.

Ik doe de deur zachtjes op een kier en gluur naar binnen. Beverly heeft me niet in de gaten, ze is te druk bezig met zichzelf. Ze staat voor de spiegel. Haar haar heeft ze opgestoken met een leger roze en paarse speldjes. Rond haar heupen heeft ze een lange rok van mijn moeder gedrapeerd en haar gezicht lijkt op een schilderij. Boven haar ogen heeft ze twee zeeën groen, op haar lippen een lichtpaarse streep en er zitten goudschilfertjes op haar wangen. Beverly buigt zich naar de spiegel toe en zegt met een diepe stem: '*Hello, I am Beverly*, ik ben veertien jaar oud.'

Heupwiegend loopt ze door de kamer als een mannequin met een tafellaken over zich heen.

En dan doe ik iets wat nog veel erger is dan mijn peerrijmpje. Ik kan het niet helpen, het is sterker dan mezelf. Het is de verveling en de wind en het stomme beeld.

Ik begin te lachen. Steeds harder, met hoge uithalen. Ik gier de zenuwen uit mijn lijf.

Beverly kijkt me aan met ogen waarin het niet leuk vertoeven is. Ze stapt traag op me af en ik probeer op te houden met lachen en er een 'sorry' tussen te wurmen, maar ik kan echt niet stoppen. De rok van mijn moeder zakt af en daardoor moet ik nog harder lachen.

Ellie komt ook kijken naar wat grappiger is dan de filmpjes op televisie. Beverly grist de tekening van Jasse van de muur en scheurt die in tweeën.

Op slag verdwijnt mijn lach.

'Zo', zegt Beverly. 'En nu de kamer uit.'

Ik kijk naar mijn kunstschat. Ik word razend en geef Beverly een stevige schop tegen haar schenen, waarna ze mijn wang openhaalt met roze gelakte nagels.

'Mislukte clown', gil ik.

'Apenjong', schreeuwt Beverly.

'Mama!' roept Ellie. 'Ze vechten.'

Klikspaan, denk ik. Als je je handen had thuisgehouden, dan zat ik nu niet in de problemen.

Een poosje later is de storm gaan liggen. Beverly en ik doen gewoon of we elkaar niet zien, als een ergerlijk luchtje dat nu eenmaal in huis hangt.

Mijn moeder komt naast me op de bank zitten.

'Kon het echt niet stiller?' vraagt ze. 'Jessica heeft het al zo moeilijk.'

Het rechteroor van mijn moeder ziet rood. Het moet een zwaar verhaal geweest zijn dat tante Jessica haar heeft verteld.

'Weer gedoe met Bjorn?' pols ik.

'Het zijn jouw zaken niet', antwoordt ze kort. 'Maar Bjorn is weg.'

'Goed voor tante Jessica', zeg ik. 'Aan hem had ze toch niks.'

Mijn moeder kijkt naar de kamerdeur waarachter mijn zus zich verschuilt.

'Soms weet ik het niet', zegt mijn moeder. 'Soms weet ik het echt niet meer.'

Ze kijkt voor zich uit.

Ellie kruipt bij mijn moeder op schoot en begint een heel verhaal op te dissen over hondjes die ze gisteren heeft gezien.

'Wat is dat toch met die honden?' vraagt mijn moeder.

'Niks', zeg ik. 'Helemaal niks.'

En ik begin snel over juf die van plan is om nog eens langs te komen.

'Waarom is dat nodig? Er zijn toch geen problemen op school?'

'Ik weet het ook niet', zeg ik met een stem die tamelijk onvast klinkt. 'Maar ze wilde echt langskomen.'

Mijn moeder kijkt naar de videorecorder en ik moet ineens denken aan de sociaal werkster van jaren geleden.

'Misschien kun je zeggen dat we niet thuis zijn', probeer ik.

'Misschien', zegt mijn moeder.

En dan blijf ik als versteend voor het raam staan. Beneden, door de windvlagen, lopen twee politieagenten deze kant uit.

11

Daarna begint de langste avond van mijn leven. Minuten rekken zich uit tot uren. Ik zit in de keuken met een pak koeken onaangeraakt voor mijn neus. Ik had het idee om die nog snel naar binnen te werken voor ik op water en brood kom te staan.

Mijn moeder zit voor de buis met een zakdoekpropje in haar linkerhand. Ze huilt mee met de televisie. Straks heeft ze geen tranen meer over.

Het lijkt eeuwen geleden dat ik die agenten over het binnenplein zag lopen en toch zijn er sindsdien nog maar twee uur voorbij gekropen. Misschien staan ze op de juiste verdieping bij de juiste deur maar in het verkeerde blok. Misschien spelen ze een spelletje met mij en jagen ze me de stuipen op het lijf in de hoop dat ik mezelf ga aangeven. Of misschien liggen ze ergens in een hinderlaag.

Ik probeer mezelf wijs te maken dat het misschien twee postbodes waren.

Ellie ligt al lang onder de wol en mijn moeder heeft de film helemaal uitgehuild als ik besluit om eindelijk ook mijn bed op te zoeken. Beverly zit op haar bed en probeert haar haar te kammen volgens het kapsel van een model dat ze aan de muur heeft vastgespijkerd.

Ik kruip in mijn spijkerbroek en T-shirt onder de lakens voor het geval dat ze me 's nachts uit bed komen plukken.

Op de een of andere manier ben ik blij dat ik niet alleen in de kamer lig. De nacht wacht me op als een groot zwart laken en ik weet niet wat eronder verborgen ligt.

Het is ochtend en ik heb het gehaald.

'Hoi Bev', zeg ik opgeruimd tegen mijn zus.

Ze staat haar tanden te poetsen in de badkamer, haar natte haar zit, in een witte handdoek gewikkeld, als een slagroomtoef op haar hoofd.

Als antwoord spuugt ze klodders tandpasta in het rond.

Terwijl ik de trap neem, ben ik toch nog een beetje op mijn hoede voor de donkere hoekjes.

Ik adem de buitenlucht in. De zon haalt de regen van de voorbije nacht dampend uit de aarde. De ochtendmist ligt als een rookgordijn over de binnenplaats.

Het belooft een warme dag te worden. Ik doe mijn schoenen uit en loop op mijn blote voeten door het natte gras. De dauw kruipt langs mijn voetzolen naar boven en weekt een herinnering los. Papa en ik op blote voeten in het koele ochtendgras, dansend op een liedje dat we zelf hadden verzonnen. Ik was net wakker en papa ook. Zijn ogen stonden nog een beetje slaperig en hij danste als een beer op hete kolen. Maar ik vond het fantastisch.

Ik hoor iemand hoesten. Naast het beeld zit Punch, ik had hem nog niet opgemerkt. Hij zit zo stil dat je zou kunnen denken dat hij bij het beeld hoort.

'Hallo', zeg ik.

Zijn rode ogen vertellen dat hij waarschijnlijk een korte nacht achter de rug heeft.

Aan de andere kant van het beeld ga ik zitten.

'Ga je mee naar het sportplein?' vraag ik.

Geen antwoord.

Hij kijkt vreemd voor zich uit. Ik vraag me af of er een reden is waardoor hij boos op me zou kunnen zijn. Misschien heeft Ellie hem verteld van de kapotte tekening.

'Ik kan het niet helpen', zeg ik.

Hij kijkt op.

'Wat?'

'Ik kan het niet helpen dat Beverly je tekening kapotgescheurd heeft. Ik kwam te laat om er iets aan te doen.'

'Geeft niks', zegt hij.

Ik wacht even en kijk of hij het echt meent.

De ogen van Punch zijn dof en zeggen geen lelijke woorden.

'Kan het jou dan niks schelen?' vraag ik.

'Sommige dingen zijn veel erger.'

'Oh ja,' vraag ik, 'zoals wat dan?'

Ik weet zelf wel wat ik erger vind, maar dat kan Punch niet weten. En ik wil uitzoeken waarom hij rode ogen heeft.

'Nou?' dring ik aan.

Punch staat op en gaat enkele stappen van me vandaan staan.

'Het is Kevin', zegt hij met zijn rug naar me toe.

'Is er iets met zijn brommer gebeurd?'

Punch lacht, maar het klinkt als de holle lach van iemand die om een mop lacht terwijl hij er geen bal van snapt.

'Dat zou je kunnen zeggen', zegt hij met een knak in zijn

stem. 'Met zijn brommer is er iets gebeurd, en met al die andere dingen die hij ergens in een garage had liggen ook. Autoradio's, handtassen, een hele winkel vol. Ze hebben het gisteren allemaal meegenomen.'

Er begint me iets te dagen.

'Mijn broer is een dief, Cleo. En ik wist het de hele tijd.'

Punch schopt een steen in de richting van Heuvelzicht 1.

'Hij wilde niet luisteren en nu moet hij het maar weten', zegt Punch.

Hij kijkt naar het appartement waar hij woont.

'Ze zijn het gisteren komen vertellen', gaat hij zacht verder. 'Kevin zal een hele poos niet meer thuis wonen.'

De postbodes waren dus wel echte agenten geweest, maar ze waren niet voor mij gekomen, ze waren hier voor Kevin. Een warme golf van opluchting tintelt door mijn lijf. Maar dat leuke gevoel ebt vlug weg. Als ze Kevin opgespoord en meegevoerd hebben, dan kan dat evengoed met mij gebeuren. Ik pluk een madeliefje en ruk er de blaadjes één voor één af. Water. Brood. Water. Brood. Water. Smeerkaas. Water. Brood.

Ik gooi het naakte bloemetje weg en kijk naar de gebogen rug van Punch.

Het lijkt wel of hij zichzelf de schuld geeft van wat er met Kevin is gebeurd.

Ik wil mijn hand op zijn schouder leggen, maar ik ben bang dat hij opspringt en weggaat.

Ergens begint een kerktoren te luiden. Punch staat op. Even later lopen we naast elkaar op het tempo van een begrafenisstoet.

Ik loop zomaar een blokje om. Punch is achtergebleven op het binnenplein. Hij was een levende brok onrust. Telkens als hij het geluid van een brommer hoorde, sprong hij overeind. En dan keek hij in het rond alsof Kevin elk moment kon komen aanscheuren.

Achter mij klinkt het gerinkel van een fietsbel. Ik spring opzij. Beverly rijdt langs. Ze zit op de fiets als een koningin op een paard. Haar hoofd opgeheven met een rode blos op de wangen en met roze gestifte lippen. Haar enige zwarte minirok is omhoog gekropen tot de lengte van een supersuperminirok en ze heeft mijn mooiste stel oorbellen gejat. Met haar blokschoenen stampt ze op de trappers in een rotvaart voorbij.

'Hé,' vraag ik, 'wat moet dat?'

'Heb ik soms iets van je aan?' roept ze terwijl ze verder rijdt.

'Ja!' gil ik. 'Je hebt verdomme iets van me aan, ja!'

Ze verdwijnt om de hoek. Ik vraag me af waarom Beverly zich zo opgetut heeft.

12

Het antwoord op die vraag valt later die middag huilend naar binnen. Mijn moeder is samen met Ellie naar de markt en ik sta juist met de gestolen hond in mijn handen. Ik ben me aan het afvragen of ik het beest niet met het huisvuil kan laten afvoeren zodat het bewijs in de afvalfabriek aan stukjes wordt gemalen. Maar dan kan ik het dier ook nooit meer terug naar de winkel brengen en dan ben ik voor altijd een dief. En Ellie ook. En dat is niet wat ik mijn vader heb beloofd.

Ik hoor gemorrel aan het slot, snel gooi ik de puppie terug in zijn verborgen hoekje. De deur wordt dichtgeslagen. Ik hoor geluiden die het midden houden tussen hijgen en gieren, als iemand die zichzelf voorbijholde en nu naar de verloren adem hapt. Misschien heeft Beverly het laatste stukje te hard gefietst om haar favoriete televisieprogramma niet te missen en vergat ze dat ze haar eigen gewicht ook op de fiets moest meetorsen.

Beverly zakt op de keukenstoel ineen met haar hoofd in haar handen. Ze huilt. Dat verklaart die rare geluiden. Ik duw de deur van onze kamer verder open en ga naar haar toe.

Ze schrikt op.

Ik schrik nog harder.

Ze ziet er niet uit. Haar uitgelopen mascara hangt als een dikke rouwrand om haar ogen, de lippenstift is uitgevlekt, haar zweet doet de goudschilfertjes op haar wangen in gouden tranen naar beneden rollen. Het leger speldjes heeft de strijd tegen het ijzerdraad verloren en haar haren pieken alle kanten uit.

'Rot op', zegt ze tegen me.

Ze staat op en loopt naar de badkamer.

'Ging je onderuit met je fiets?' vraag ik.

Ze antwoordt niet. Even later hoor ik het water kletteren.

Ik heb Beverly nog niet zo vaak zien huilen. Ze heeft niet gehuild toen papa doodging of toen ze die chocoladerepen in de vuilnisbak gekieperd hadden en ook niet op de dag toen ze met een kapotgescheurde verjaardagskaart thuiskwam. Ze heeft niet gehuild toen we van school moesten veranderen en toen niemand naast haar wilde zitten. Mijn moeder zegt dat Beverly beter iets meer kan huilen omdat ze dan minder snel met dingen zou beginnen te gooien.

Eindelijk gaat de deur van de badkamer open. Alle kleuren zijn van haar gezicht afgespoeld, maar toch ziet ze er niet vrolijk uit. Zonder iets te zeggen loopt ze naar de slaapkamer en doet de deur dicht.

Ik klop zachtjes aan.

'Mag ik binnenkomen, Bev?' vraag ik.

'Hey, Bev?'

'Ik moet dringend de kamer in, Bev. Mijn sportschoenen staan onder mijn bed.'

Ik duw de deur open.

Beverly ligt languit op haar bed. Op de grond, tussen onze bedden in, liggen krantensnippers verspreid.

Ik ga op mijn bed zitten. Het blijft doodstil.

'Ga weg', bijt Beverly me toe. 'La-me-met-rust.'

'Waar ben je naar toe geweest?' vraag ik.

Gesnuif in het kussen.

'Waarom had je die kleren aan?'

Beverly richt zich op en spuugt op de krantensnippers.

'Hé', zeg ik. 'Dit is ook mijn kamer.'

Voorzichtig buig ik me over de snippers. Er zitten nog enkele grote stukken tussen. Stilletjes puzzel ik het in elkaar. Ik herken de woorden. Het beeld van Beverly op de fiets is het laatste stukje van de puzzel. Nu weet ik wat ze deed, maar nog niet waarom ze huilt.

'Je ging naar die fotograaf, niet?' vraag ik.

Beverly zwijgt.

Ik gooi de snippers in de prullenbak.

'Over een halfuurtje komt mam thuis, Bev. Je hebt nog tijd.'

Even later vertelt ze haar verhaal. Over dat ze nooit bij de fotograaf is gekomen. In de wachtkamer zat ze met een drietal meisjes. Volgens Beverly hadden ze dure kleren aan en de make-up van haar lijstje.

'Ze zaten de hele tijd te lachen en te smiezen', zegt Beverly. 'En ik deed of ik het niet hoorde. Tot een van hen vroeg, vroeg… of ze hier ook in nijlpaarden deden. En toen ben ik weggelopen.'

Mijn zus zegt dat ze een jaar lang niks meer zal eten en dat ze daarna nog eens terug zal gaan. Met de juiste make-up op. Ik schuif de prullenbak naar haar toe.

'Je mag gerust nog eens spugen', zeg ik.

Even later loopt Beverly alweer door de keuken met een donut tussen haar tanden.

'De allerlaatste', zegt ze. 'Daarna eet ik niks meer.'

Ik vind het heel erg voor Beverly. Ik neem me voor om mijn peerrijmpjes voorgoed op te bergen.

Ik vraag me af wat mijn vader zou hebben gedaan als hij nog leefde. Ik wed dat hij rechtstreeks naar die meiden zou zijn gegaan en dat hij hen zo door elkaar zou rammelen dat ze zich niet eens meer konden herinneren wat een nijlpaard was.

13

Een paar dagen later loopt Beverly door het huis terwijl ze aan een grote wortel knaagt. Mijn moeder is bezig in de keuken. Hoe sterker de geur van frieten wordt, hoe harder Beverly begint te knagen.

'Het lag aan de make-up', zegt ze ineens tegen me.

'Heh?'

'Die toestand bij de fotograaf, dat lag aan de make-up. Die giecheltrutten hadden beter spul op dan ik.'

Ik zeg haar dat ze vast dikke lagen nodig hadden om te verbergen hoe lelijk ze waren.

Beverly gaat naar de keuken. Door het geraas van de afzuigkap kan ik niet precies horen waarover mijn moeder en Beverly ruzie krijgen. Maar dat het echt menens is, bewijst de wortel. Het ding suist enkele tellen later de woonkamer door en knalt tegen het raam.

Even later raapt mijn moeder de wortel op.

Buiten is het broeierig heet. Het lijkt wel of alles in brand staat.

Ellie heeft een ijsje in haar hand, maar de zon is sneller dan haar tong en de vanille druipt in kleverige straaltjes langs haar vingers naar beneden.

Ik neem Ellie mee naar de gebroken bank, waar Punch in een boekje zit te krabbelen.

Hij kijkt nauwelijks op. En ik heb nog wel mijn nieuwe spijkerrok aan.

Hij mompelt dat hij met iets bezig is wat hij Kevin wil geven.

'Hoe is het met hem?' vraag ik.

'Goed, denk ik.'

Hij slaat een bladzijde om.

'Hij heeft beloofd om me te schrijven, maar hij heeft nog geen tijd gehad', zegt hij.

Ik vraag me af waarmee Kevin het zo druk heeft. Ik weet ook niet of de plaats waar hij nu is, lijkt op de instelling waar mijn moeder en haar zussen zaten. Mijn moeder heeft me ooit verteld dat ze in het tehuis ook leuke spelletjes deden. En dat ze soms ergens naar toe mochten met de mensen van het tehuis. Maar daarbij moesten ze sjaaltjes dragen van dezelfde kleur zodat die begeleiders konden zien wie bij hen hoorde en er niemand achterbleef. Mijn moeder zei dat ze altijd jaloers was op die kinderen zonder sjaaltjes, die met een gewone papa en mama op de speelplaats waren. Ooit had ze haar sjaaltje stiekem in de vuilnisbak gegooid, toen ze nog jonger was dan ik nu, en was ze gewoon tussen een mama, een papa en een picknickmand neergeploft. Maar ze hadden haar toch gevonden en ze moest de bus weer in, ook zonder sjaaltje.

Ik haal mijn zakdoek te voorschijn om Ellies gezicht schoon te boenen.

'Het is bijna klaar', zegt Punch.

'Mag ik eens kijken?'

Punch doet het boekje dicht.

'Ik heb tekeningen gemaakt om hem aan het lachen te krijgen.'

Dat kan hij wel goed gebruiken, denk ik bij mezelf. En ik misschien straks ook. Er gaat geen dag voorbij zonder dat ik aan de hond denk. En aan juf. En het lijkt wel of ik elke dag een stukje bozer word. Niet op Ellie en niet op mezelf. Maar op wie dan wel precies, weet ik niet.

In de verte komt Mirko aangeslenterd. Hij houdt zijn handen diep in zijn broekzakken en schopt ongeveer tegen alles wat hij onderweg tegenkomt.

'Pokkeweer, pokkedag', gromt hij.
'Hallo', zeg ik.
Punch stopt zijn boekje snel weg.
Zelfs in de schaduw is het heet. We zitten een tijdje te zwijgen alsof de dag te warm is voor woorden.
'Met Kevin viel er hier tenminste nog iets te beleven', zegt Mirko.
Het klinkt haast als een verwijt naar Punch.
Ineens klettert er iets op de grond. Uit de linkerbroekzak van Mirko valt een zakmes. Hij raapt het op en speelt ermee tussen zijn vingers. Ik vraag me af of er bloed aan kleeft. Ik schuif een eindje van hem vandaan.
'Zware dag gehad gisteren', gaat Mirko verder.
Ik zie het zo voor me. Ze zitten allemaal aan een grote ronde tafel, allemaal licht ontvlambare mannen bij elkaar die hun

pasta naar binnen schrokken. Mirko zit ertussen. En dan zegt er een van hen iets wat helemaal niet past, zoals: Ik heb liever friet, of: Die spaghetti van jou smaakt naar breiwol. In elk geval genoeg om een kleine oorlog te ontketenen. En er wordt ook gegooid met dingen. Borden en messen. Net iets voor Beverly.

'Ik heb nauwelijks mijn bed gezien. Ik was in die pub waar je broer altijd zat.'

'Hou op, Mirko. Nu niet.'

Maar Mirko weet van geen ophouden. Hij vertelt over het nachtleven, over lichte dames, zware heren en blitse auto's.

'Ach, hou je mond, Mirko. Ik zag je moeder gisteravond op de trap.'

Mirko zwijgt.

'Dat was mijn moeder niet', zegt hij.

Hij staat op en gaat weg.

'Soms denk ik dat hij het zelf nog gelooft ook', zucht Punch.

Ik kan het even niet meer volgen. Dat heb ik soms ook bij films als stukken van vroeger en later door elkaar gehaspeld worden.

'Ik snap het niet', zeg ik.

Punch komt dichterbij. Hij krabt over dat deel van zijn hoofd waar vast de donkere geheimen verborgen zitten.

'Vroeg of laat kom je het toch te weten', zegt hij.

En ik krijg het verhaal van Mirko te horen, over wat er nu echt is. Of beter gezegd, wat er allemaal niet is. Er zijn geen neven en ooms, er is helemaal geen Italiaanse clan, er is zelfs geen vader. Mirko woont in het appartement alleen met zijn moeder. Er is iets met haar bloed waardoor ze af en toe naar het ziekenhuis moet en waardoor ze heel moe is. Ze krijgen wel hulp, maar heel vaak moet Mirko zelf voor zijn eten zorgen of schoonmaken. De denkbeeldige neven hielpen hem vast door die lege dagen heen.

Het doet me denken aan Beverly. Mijn moeder heeft me ooit verteld dat mijn zus vroeger een vriendinnetje had dat niemand zag. Ze had er zelfs een naam voor verzonnen. Honnie of zo. En op tafel moest er ook een extra bord staan. En soms mocht je niet op de stoel naast Beverly zitten, want dan gilde Beverly dat je Honnie zou verpletteren. Mijn moeder was dolblij dat Honnie op een dag helemaal verdwenen was.

Punch gaat weg om zijn boekje op de post te doen.

Overal waar het vanilleijs sporen naliet op Ellie zit nu zand. Ze wil gaan zwemmen, maar het zwembad ligt aan de andere kant van de stad. En bovendien is mijn badpak net iets te klein geworden. Ik zeg haar dat ik geen zin heb om te zwemmen. Ze begint te huilen en wrijft in haar ogen. Blijkbaar zit er nu zand in haar ogen, want ze krijst als een speenvarken.

Het duurt een tijdje voor ze weer rustig is en op haar gezicht is een hele landkaart van lijnen en vlekken uitgetekend. Misschien is het toch geen gek idee om te gaan zwemmen. En als ik de hele tijd in het water blijf, ziet niemand dat mijn badpak te klein is.

Ellie huppelt blij in de richting van het appartement.

Net als ik me omdraai, zie ik iets blinken in het zand. Het ligt er goed verborgen, alsof het niet gevonden wil worden.

Ik kijk om me heen. Snel gris ik het zakmes van Mirko weg en stop het in mijn zijzakje.

Als we van ons uitje naar het zwembad thuiskomen, zegt mijn moeder dat juf gebeld heeft. En dat ze over twee dagen langskomt.

Ik gooi mijn stomme badpak in de mand, zeg tegen mijn moeder dat ik geen zin heb in een stomme boterham en vertel Beverly dat ze naar een stomme film zit te kijken. De peren en nijlpaarden houd ik nog binnen.

Later op de avond loop ik de trap af naar beneden, met het zakmes losjes in mijn hand. Ik ben van plan om het gewoon terug te gooien waar ik het gevonden heb. Ik wil geen dingen die niet van mij zijn.

De avond valt in dikke schaduwen over de binnenplaats. Behalve een meneer die zijn hond uitlaat en enkele jongens die wat verderop een potje voetballen is er niemand op de speelplaats.

De kapotte bank staat enkele meters van het kunstwerk vandaan. Het beeld heeft iets uitdagends zoals het daar staat tussen het halfrotte hout van de bank, de kale betonnen muren, het opgeschoten gras, het vervuilde zand en de uitpuilende vuilnisbakken. Het was mij nog niet eerder opgevallen. Met zijn mooie ronde vormen, zijn gladgeschuurde oppervlak en de twee grote gaten is het beeld er niet op zijn plaats. Het lacht ons uit.

Het lacht om alles wat we niet hebben. Een goed badpak, dure make-up, honden, vaders, broers die je terugschrijven vanuit een plaats waar niemand wil zijn. Als ik heel goed luister, hoor ik hoe het zachtjes lacht. Het is niet de wind die door de gaten speelt, het is het beeld zelf.

Ik loop in kringetjes om het kunstwerk heen, als een roofdier rond zijn weerloze prooi.

Ik knip het mes open. Het lemmet is scherp en er kleeft geen bloed aan. De eerste kerf is aarzelend, de volgende en die daarna komen harder aan. Het lachen is opgehouden. Het lijkt wel of het beeld kreunt en het hout dof is geworden.

Ik knip het mes dicht en gooi het met een brede zwaai weer in het gras. Het ligt er open en bloot, alsof het snel gevonden wil worden.

14

De volgende dag vermijd ik om dicht langs het beeld te lopen.

Ik denk aan de kunstenaar. Ik probeer me hem zo hatelijk mogelijk voor te stellen om me minder schuldig te voelen. Een opgekrikte vent met een vlinderdas die beelden bij de vleet heeft en dan maar zijn lelijkste exemplaar laat neerpoten in de schaduw van onze betonblokken, blij dat hij ervan af is.

Maar misschien is de kunstenaar helemaal niet zo. Misschien is het eerder zo'n flodderig type dat elke dag boterhammen met goedkope chocoladepasta eet en net zijn eerste en enige kunstwerk heeft verkocht, waaraan hij maanden heeft gezwoegd.

Ik merk dat het mes verdwenen is. Vanwaar ik sta valt het helemaal niet op dat er in het beeld gekerfd is. Voortaan zal ik enkel vanuit deze hoek naar het kunstwerk kijken, als een paard met oogkleppen op.

Ik ben niet de enige die bij het beeld rondhangt. Het oude vrouwtje dat eerder de graffiti bij de spoorweg oppoetste en door het boekje van Punch bladerde, buigt zich over die kant waar het beeld beschadigd is.

'Jammer', hoor ik haar mompelen. 'Jammer, jammer.'

Ze schuifelt langs me heen.

'Ik heb hem opgebeld', zegt ze. 'Mijn kleinzoon. Hij komt vanmiddag kijken wat hij kan doen.'

Beverly loopt kribbig rond. Haar wortels heeft ze al opgegeven, vandaag is de komkommer aan de beurt.

Het is even voor drieën als ik een jongeman in spijkerbroek en T-shirt met een soort gereedschapskist in zijn hand naar het beeld zie lopen. Er is geen vlinderdas te bespeuren. Hij wrijft over het beeld.

Ik wil het van dichtbij kunnen zien, zonder dat ik mezelf in de nesten werk. Daarom besluit ik om toevallig voorbij te komen, zomaar op weg naar ergens anders. Daar ben ik heel goed in. Ik neem de canvas tas uit de kast en ga naar beneden.

De jongeman zit gehurkt voor het kunstwerk.

Ik blijf staan en zwaai de canvas tas onopvallend voor me uit.

'Ik kom toevallig langs', zeg ik. 'Ik ga naar de winkel.'

De jongeman kijkt niet op.

Zijn vingers glijden over de kerven.

'Wist je dat hout kan bloeden?' vraagt hij.

'Nee', zeg ik schor.

Nu kleeft er toch bloed aan het mes.

Hij zucht en neemt een soort papier dat een schurend geluid maakt op het hout.

'Ik krijg het niet helemaal weg', zegt hij. 'Het zal altijd een litteken blijven.'

Ik heb ook een litteken op mijn knie sinds ik in een glasscherf ben gevallen.

'Dit is een slechte plek voor een kunstwerk', zeg ik. 'Hier wonen kinderen die oude mensen van hun sokken rijden en zo.'

Hij glimlacht. 'Dit was juist de geknipte plek voor dit beeld.'

Ik vraag me af hoe hij dat kan weten.

'Niemand weet wat het eigenlijk voorstelt', zeg ik. 'Of wat het hier komt doen.'

Hij neemt voorzichtig een ijzeren vijl die Beverly in kleiner formaat gebruikte om haar nagels bij te werken.

'Er was een feestje voorzien om dit beeld in te huldigen', zegt hij.

Dan moet het wel een heel klein feestje geweest zijn, want ik heb er niks van gemerkt.

'Alle flatbewoners zouden worden uitgenodigd', zegt hij. 'Maar toen had het stadsbestuur plots geen geld meer over en toen hebben ze gewoon iedereen een droge brief gestuurd om te zeggen dat het beeld er kwam.'

Die brief zit vast ergens tussen het tekenpapier van Ellie.

Hij blaast het zaagsel weg. De kerven zijn al minder diep, maar de wond zal altijd zichtbaar blijven. Net zoals het litteken op mijn knie.

'Wie kerft nu in zo'n beeld?' vraag ik.

Deze keer kijkt hij me recht in de ogen.

'Misschien is het wel iemand die ergens boos om is', zegt hij.

Ik slik. Het lijkt wel of hij dwars door me heen kan kijken, alsof mijn hoofd van glas is.

'Ik moet naar de winkel', zeg ik en toch blijf ik staan.

Met wat olie kleurt hij de gewonde plek bij.

'Misschien vraagt die persoon zich af hoe zij... ik bedoel hij, want het was vast een jongen, dit kan goedmaken?' stotter ik.

De jongeman stopt zijn materiaal terug in de kist.

'Boosheid is net klei', zegt hij. 'Als het hard wordt, kun je het gebruiken om er dingen mee kapot te slaan. Maar je kunt het ook kneden tot het zacht wordt en er iets moois onder je handen kan groeien. Misschien moet die jongen daar maar eens goed over nadenken.'

Ik kijk in het rond naar de betonblokken.

'Er zit veel boosheid achter die muren', zeg ik.

'Ik weet het', zegt hij. 'Ik ben hier opgegroeid.'

Ik zit op mijn bed en houd mijn kistje op mijn knieën. Nog één dag. Morgen komt juf. En daarna wordt mijn leven anders. Ik denk aan de laatste avond met papa.

Ik zat aan de keukentafel, het was nogal laat, maar ik mocht lekker lang opblijven omdat het toch herfstvakantie was. Papa was nog niet thuis van zijn werk. Hij werkte op sommige dagen heel vroeg en dan weer heel laat in de fabriek.

Toen ging de deur open en papa kwam naar binnen. Ik haalde mijn rapport uit mijn boekentas. Het was mijn eerste rapport uit de eerste klas en het stond vol mooie cijfers en eigenlijk was ik speciaal opgebleven om dat aan papa te tonen. Hij keek ernaar. Hij werd even stil en er kwamen tranen in zijn ogen en hij zei dat hij in zijn hele leven nooit meer had gehad dan de helft van mijn cijfers. Hij tilde me op, zwierde me op zijn schouders, zong van *hupsafaldera*, en danste door de keuken en zei dat ik vast prrrofessorrrr zou worden of doktoorrrr, en zoals hij het zei leek het of de 'r' eeuwig bleef rollen. Hij zong dat ik IEmand zou worden met een grote IE. En toen zei mijn moeder dat hij moest ophouden met mijn hoofd op hol te brengen en dat er in dit huis nooit professoren of dokters zouden wonen. En ik stopte mijn rapport stilletjes terug in mijn boekentas en ging naar boven.

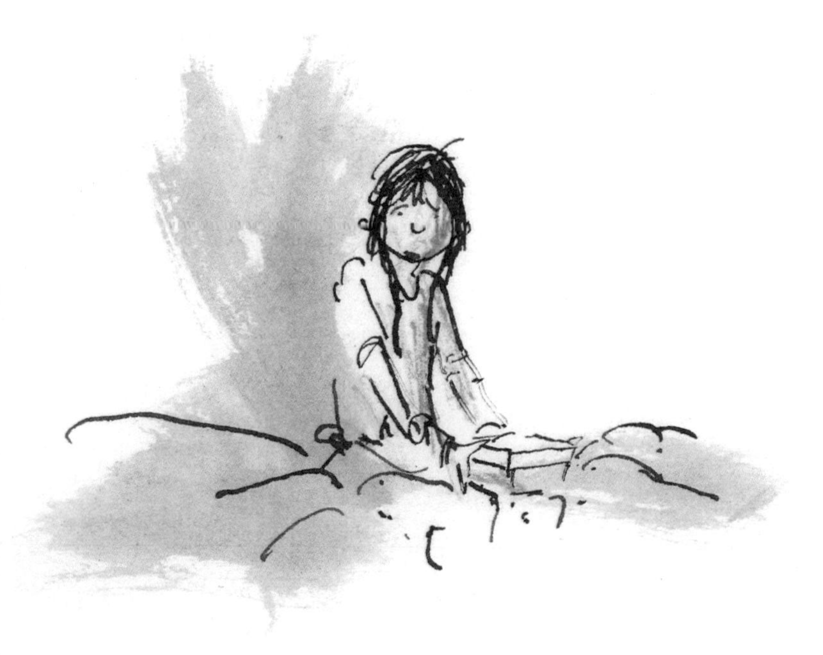

Ik heb papa daarna nooit meer teruggezien. Hij is de volgende ochtend met zijn auto tegen een boom geknald. En ik heb heel lang geloofd dat het mijn schuld was.

Sindsdien ben ik beginnen te sparen voor wat ik papa bij zijn graf heb beloofd. Ik heb met hem afgesproken dat ik IEmand zal worden met een grote IE. Hoe ik dat precies moet doen, weet ik niet, maar er zal vast geld voor nodig zijn. In mijn kistje ligt alles wat ik de afgelopen vier jaar gevonden of bij elkaar gespaard heb. Met kleine klusjes voor de buurvrouw uit onze vroegere straat, met geld dat ik gevonden heb (enkele muntstukken en ooit eens een briefje van tien verfrommeld langs de kant van de weg vlak bij een hondendrol), met geld dat ik niet uitgaf aan snoep terwijl Beverly alles in chocoladerepen omzette.

Ik zet het kistje weer in het donkerste hoekje van de kamer.

15

Het is vroeg in de ochtend en buiten is het doodstil. Zelfs de vogels hebben geen zin om een eerste lied voor me te zingen. Naast mij mummelt Beverly zachtjes in haar slaap.

Misschien gelooft mijn moeder er niks van. Die laatste zin blijft even in mijn hoofd hangen, als een zonnig refreintje dat je oppept op een druilerige dag. Ik krijg weer hoop. Waarom zou mijn moeder iets geloven wat een wildvreemde haar over haar eigen dochter komt vertellen? Mijn moeder is sowieso niet tuk op wildvreemden en zeker niet als die haar komen vertellen hoe het allemaal moet.

Ik val in een brokkelige slaap.

Bij het ontbijt krijg ik nauwelijks iets door mijn keel.

'Voor of na de middag?' vraag ik aan mijn moeder.

'Zo lang heb je nu ook weer niet geslapen, Cleo. Het is kwart over tien.'

'Ik bedoel', zucht ik, 'of juf voor of na de middag komt?'

Mijn moeder friemelt aan de lussen van haar schort.

'Ze heeft niet gezegd wanneer precies.'

Misschien wil juf onverhoeds voor de deur staan, als een soort verrassingsaanval. En misschien komt ze ook niet alleen.

'Juf overdrijft soms', zeg ik tegen mijn moeder.

Ze kijkt een beetje verwonderd omdat ik de afgelopen maanden nooit een slecht woord over juf heb gezegd.

'Soms lacht ze net iets te hard om een grap en soms straft ze iemand voor een peulenschil zoals euh... toen een vierdeklasser de bril van Noor over de heg had gegooid.'

Mijn moeder zegt dat ze die pestkoppen niet hard genoeg kunnen aanpakken. Ze verfrommelt daarbij haar schort tot een bal en gooit hem in de hoek van de keuken.

Het valt helemaal niet mee om juf zwart te maken.
Ellie huppelt door het huis. Ze wil dolgraag dat ik met haar speel.
'Jij was de boef,' zegt ze, 'en ik was Zjorro.'
'Ik wil geen boef zijn', zeg ik tegen Ellie. 'Vraag het aan Beverly.'
Beverly zit aan tafel met haar map van gecamoufleerde mensen. Ze schuift haar laatste aanwinsten uit de reclame netjes tussen de plastiekjes. Zoals verwacht vangt Ellie ook daar bot. Beverly houdt zich nooit met kinderspelletjes bezig.
Ellie begint te huilen.
Ik denk aan de instelling en vraag me af of Ellie en ik bij elkaar zouden zitten of apart. Natuurlijk zal het nooit zover komen, want mijn moeder zal niet geloven wat juf zegt. Maar het idee alleen al maakt me beroerd. Straks heeft Ellie niemand meer om Zorro mee te spelen.
'Oké', zeg ik tegen Ellie. 'Eén enkele keer.'
Ik zit haar vervaarlijk grommend achterna en ze gilt het uit.
En dan gaat de bel.

Juf ziet er uit zoals altijd. Springerig bruin haar en een vriendelijke lach. Ze lijkt wel een tikje aangekomen. En haar gezicht is bruiner. Ze heeft een grote handtas bij zich.
'Hallo', zegt ze. 'Hier ben ik.'
Dat zien we zo ook wel, denk ik. En ik krijg even zin om de deur dicht te knallen, maar dat zou me toch geen zier verder helpen. Ik kijk in de gang. Er is niemand anders te bespeuren.
Juf blaast een beetje.
'Ik heb trappen gelopen', zegt ze. 'Voor mijn conditie.'
Mijn moeder vraagt Beverly om een beetje op te schuiven, waarop mijn zus mokkend en zuchtend haar map bijeengraait.
Ze geeft wel antwoord als juf vraagt wat ze aan het doen is.

'Interessant', zegt juf. 'Mijn neus lijkt een beetje op een kleine aardappel. Ik wilde soms dat ik die kon verstoppen.'

Mijn moeder zit pal tegenover juf, een beetje achterovergeleund op de stoel met haar handen over haar borst gevouwen. Het lijkt of mijn moeder er losjes bij zit, maar haar ogen staan op scherp.

Ik schuif ongemakkelijk op mijn stoel heen en weer. Juf kijkt wat onwennig in het rond, achternagezeten door de ogen van mijn moeder. Beverly bladert onverstoorbaar in haar map en Ellie klimt bij me op schoot.

Zij is diegene die de stilte verbreekt. 'Cleo was de boef.'

Ik knijp van schrik in haar billen.

'Au', zegt Ellie.

Ellie gaat boos bij mijn moeder zitten.

'Wel, euh', begint juf. 'Ik wilde het eens over Cleo hebben. We hebben elkaar nog nooit ontmoet tijdens het oudercontact, niet? '

'Hm', zegt mijn moeder. 'Koffie?'

Ze keert terug uit de keuken met een kan koffie en twee mokken. Een daarvan is de haatmok. Mijn moeder zet het ding pal voor de neus van juf, maar ze schenkt nog niet in.

'Het zit zo', zegt juf. 'Volgend schooljaar heb ik de klas van Cleo niet, eigenlijk kom ik volgend jaar helemaal niet meer bij jullie op school.'

Ik kijk op.

En juf vertelt dat ze in het begin van de grote vakantie te horen heeft gekregen dat de meester toch weer terugkomt uit ziekteverlof en dat er op die school voor haar geen plaats meer is. Ze had intussen wel al een nieuwe baan gevonden op een andere school.

Ik vind het heel erg dat juf er volgend jaar niet is. Ik vind het zelfs zo erg dat ik even vergeet waarvoor ze eigenlijk komt.

'Van een paar leerlingen had ik nog spullen liggen', gaat juf verder. 'Daar wilde ik volgend schooljaar nog iets leuks mee doen. Maar nu gaat dat niet meer.'

Het hoofd van juf verdwijnt even onder tafel, ik hoor haar rommelen in haar tas.

Ze legt een kladschriftje op tafel. Ik herken het meteen. In dat schriftje had ik mijn verhaal geschreven, over een gezin met een papa die voor een lange tijd weg moest.

'Mijn verhaal', zeg ik.

Juf schuift het boekje naar me toe.

'Het is een boeiend verhaal', zegt ze. 'Het was het mooiste verhaal van de hele klas, dat kan ik je nu wel vertellen.'

Het had me weinig moeite gekost om het te schrijven. Ik was eraan begonnen vroeg in de avond en toen ik opkeek, was het donker geworden en stond het hele verhaal erop.

'Ik weet niet goed hoe ik dit moet uitleggen', zegt juf tegen mijn moeder. 'Maar Cleo ziet dingen, weet u.'

De mond van mijn moeder valt open. 'Goddomme', zegt ze geschrokken.

'Het is helemaal niks verkeerds,' zegt juf snel, 'hoe moet ik het zeggen; ze heeft zoveel fantasie, ze voelt en ziet dingen waar anderen geen oog voor hebben. En misschien kan ze daar later op de een of andere manier iets mee gaan doen.'

Het blijft even stil.

Mijn moeder schraapt haar keel.

'Cleo heeft het altijd goed gedaan op school', zegt ze alsof ze zich moet verdedigen. 'En we zien wel welke kant het uitgaat.'

Juf begint een opsomming over allerlei richtingen na de basisschool.

'Ze maken het allemaal zo ingewikkeld', zegt mijn moeder een beetje boos. 'Vroeger was het makkelijker. Je koos gewoon een beroep. Jammer dat ik de school niet kon afmaken. Dat kwam door Beverly.'

Beverly kijkt op en gromt dat het haar schuld niet is.

Juf schrijft iets op een kaartje.

'Hier kun je terecht met allerlei vragen', zegt ze.

Het duurt even voor mijn moeder het kaartje aanneemt. Ik zie haar kijken in de richting van Ellies stapel tekenpapier. Maar ze staat op en legt het kaartje op de kast, vlak bij de foto van papa.

'Zo', zegt juf. 'En nu moet ik maar eens gaan.'

'Ik vergat de koffie', zegt mijn moeder. 'Ik haal snel even een ander kopje.'

Juf heeft haar koffie op en ze heeft nog geen woord gezegd over de hond. Ze heeft verteld hoe ik was in de klas, maar dat waren allemaal leuke dingen.

Ze staat op en schudt mijn moeder de hand.

'Bedankt voor de koffie.'

Ze aait Ellie over het hoofd en groet Beverly.

'Een groen lijntje zou je niet misstaan', zegt Beverly zonder op te kijken. 'En een tikkie blush.'

Juf belooft dat ze het eens zal uitproberen.

Ik wandel met juf naar de deur en vraag me af of ze zich nu zal omdraaien en zeggen:

'Oh, en a propos, je dochter is een dief.'

Maar juf gaat gewoon naar de deur.

'Dag Cleo', zegt juf.

Ik wip van het ene been op het andere en fluister: 'Wacht even, juf, ik moet je nog iets vragen.'

Ik doe de deur dicht en we staan nu met z'n tweeën in de gang. Ik vertel juf het hele verhaal over de hond en ook de droom. En af en toe floept het licht in de gang uit en dan lijkt het of wij tweeën de enigen zijn op de hele wereld. Het is donker omdat het noodlichtje op onze gang kapot is en er nergens ramen zitten.

Het is precies op zo'n pikdonker moment dat mijn verhaal uit is.

'Ben je daar nog?' vraag ik terwijl ik de knop zoek om het licht aan te doen.

'Ja hoor', zegt juf en even later zie ik haar weer. 'Ik was gewoon even stil.'

Juf vraagt waar de hond is en ik vertel haar dat het ding in mijn kast ligt.

'Ik wil het beest wel voor je terugbrengen', zegt juf na een tijdje. 'De eigenaar is een vage kennis van me. Hij zal het wel begrijpen.'

'Echt? Echt waar? Zonder mijn naam te noemen?'

'Zonder je naam te noemen.'

'En ook niet die van Ellie?'

'Ook niet die van je zus.'

Ik roetsj naar binnen, grijp de hond uit de kast, smokkel hem naar buiten en prop hem zo snel ik kan in de handen van juf.

'Dag juf', zeg ik en ik denk er plots aan dat ik haar nu misschien nooit meer zal terugzien.

'Dag Cleo.'

Ze loopt in de richting van de lift.

'Niet met de lift!' roep ik nog op tijd. 'Denk aan je conditie.'

Het schriftje dat juf me gaf, ligt op mijn nachtkastje. Wat juf erover vertelde, gaf me een fijn gevoel. Ik wilde dat mijn vader het had kunnen horen. Misschien had hij me op zijn schouders getild en geroepen dat ik nu aardig op weg was om IEmand te worden. En er was ook geen hond meer om over te struikelen.

De tekening die Punch me gaf, hangt weer aan de muur. Het kostte me twee uur werk en een halve rol plakband. Ik denk aan wat boosheid allemaal kapot kan maken en aan wat de kunstenaar me heeft verteld over de klei.

Ik duik onder mijn bed en doe mijn kistje open.

Dan ga ik op zoek naar Beverly.

16

Punch en ik liggen als twee gevallen herfstbladeren in het gras. De zon is niet sterk genoeg om de noordenwind te verzachten, maar dat geeft ons een reden om dicht tegen elkaar aan te liggen.

Boven mijn hoofd schuiven wolken voorbij en wat ik erin herken doet mij aan de voorbije zomer denken. Het eerste wat ik zie is een peer. En zo kom ik bij Beverly terecht. De wortels en komkommers zijn alweer verleden tijd. Ze is het nieuwe schooljaar gestart met de make-upset van haar lijstje. Sinds kort heeft ze zelfs een vriendin. Die heet Annabel en als ze hard lacht, klinkt ze als een paard. Maar voor de rest is ze oké.

Ik zie een lange, witte wolk in de vorm van een mes. Daar wil ik niet te lang naar kijken. Mirko heeft een tijdje gezeurd dat hij zijn mes kwijt was. Ik weet niet waar het nu is, maar ik hoop dat het bij iemand is die er niet dezelfde stomme dingen mee doet als ik. Van Mirko hebben we trouwens weinig last, hij houdt zich in zijn appartement schuil, samen met zijn ooms en neven. Misschien moeten we hem maar eens gaan opzoeken.

Ik speur het wolkendek af naar juf, maar er is geen enkele wolk die een kop vol springerig haar heeft. De meester is bij lange na zo leuk niet als juf. Hij vindt ons een stelletje pubers dat hem het leven zuur maakt. Daarom hoest ik stiekem in zijn gezicht en laat ik mijn vuile zakdoeken op zijn tafel rondslingeren. Als hij ziek wordt, komt juf misschien wel terug. Juf heeft trouwens nog een leuk kaartje gestuurd. Er stond een hond op en juf had er een tekstballonnetje boven getekend: Ik ben weer thuis, waf.

De lange witte wolk doet mij ook denken aan tante Jessica. Sinds enkele weken is er een nieuwe vriend. Net de tweelingbroer van Bjorn, vindt mijn moeder. Maar misschien moet ze hem eerst een kans geven.

Naast mij hoor ik het geritsel van papier.

Punch zwaait met een brief.

'Hij heeft me eindelijk geschreven', zegt hij. 'Het gaat niet slecht met hem.'

Ik lees de letters op de voorzijde van de brief. En nog eens. Ik herken de familienaam van Punch, maar niet zijn voornaam.

'Wie is Jason?' vraag ik terwijl ik overeind ga zitten.

'Jason is mijn echte naam', zegt hij haast verontschuldigend.

'Wat?!' roep ik. 'En dat zeg je me nu pas?'

'Niemand hier gebruikt die. Iedereen noemt me Punch.'

'Of Snotter', zeg ik giftig.

Punch wuift die naam snel weg.

Ik voel me een beetje bedrogen. Alsof iemand die je al een tijdje kent, plotseling iemand anders is geworden.

'Op school ben ik Jason. En als mijn naam ergens op moet. En ook...' Hij aarzelt een beetje. 'Als ik iets teken, dan onderteken ik met Jason. Je hebt Punch en je hebt Jason, snap je. En soms willen die niet van elkaar weten.'

Ik ga weer liggen met mijn rug naar hem toe en een strook koude lucht tussen ons in.

Ineens schiet ik overeind.

'Die tekening die je mij gaf, daar stond je echte naam op.'

Hij knikt.

'Ik kan je nu moeilijk Jason gaan noemen', zeg ik.

'Hoeft ook niet. Hou het maar bij Punch, dat ben ik hier gewend.'

Ik schuif een klein beetje dichterbij en denk aan mijn kistje. Beverly heeft het me leeg teruggegeven nadat ze er haar make-upset van had gekocht. Er was zelfs nog over voor twee braadworsten, had ze blij geroepen. Mijn moeder vond het heel fijn wat ik voor Beverly had gedaan. Ze had er zelfs een zakdoek voor nodig.

'Teken iets voor me', vraag ik ineens aan Punch. 'Teken een gezellig huis voor me.'

Meestal zit er een schetsboekje in het zijzakje van zijn jas.

'Ik teken niks op bevel', zegt hij. 'Dat gaat niet.'

'Teken dan niks.'

'Dat is ook een bevel.'

We zitten een tijdje te zwijgen en de zon verdwijnt achter de wolken en net als ik denk om op te stappen, hoor ik naast mij het gekras van potlood op papier.

'Het staat er bijna op', zegt Punch.

'Wacht', zeg ik. 'Er moet een dak van glas op.'

'Van glas?'

Ik knik.

's Nachts als iedereen slaapt, wil ik naar de sterren kijken. En tussen de sterren zal ik het gezicht van papa zien die naar me lacht. En dan zal ik hem vertellen over mijn moeder, over Ellie en Beverly en zal hij kunnen zien hoe ik IEmand ben geworden. En hij zal lachen en de sterren zullen zingen van *hupsafaldera*. En voor ik in slaap val, zal ik nog even naar hem zwaaien.

Punch geeft me de tekening. Voorzichtig vouw ik het blad in vieren. Mijn kistje is niet meer leeg.